Erwin A. Schmidl

JUDEN IN DER K. (u.) K. ARMEE

1788 — 1918

JEWS IN THE HABSBURG ARMED FORCES

Erwin A. Schmidl

JUDEN IN DER K. (u.) K. ARMEE
1788 – 1918

JEWS IN THE HABSBURG ARMED FORCES

STUDIA JUDAICA AUSTRIACA
Band XI

Bildauswahl: Birgit Wörnhör

Text in English and German

Österreichisches Jüdisches Museum
Eisenstadt 1989

Titelbild: Dipl. Graph. Karl Seelos
Bildauswahl: Mag. Birgit Wörnhör
Statistische Übersichten: Dipl. Graph. Erwin Moravitz

Dieses Buch ist die wissenschaftliche Begleitpublikation zur Ausstellung "200 Jahre jüdische Soldaten in Österreich" des Österreichischen Jüdischen Museums in Eisenstadt.

Veranstalter: Univ. Prof. Dr. Kurt Schubert
Wissenschaftliche Leitung: Dr. Erwin A. Schmidl
Beratung: Dr. Nikolaus Vielmetti,
Mag. Johannes Reiss
Ausstellungsgraphik: Dipl. Graph. Karl Seelos
Dominika Seelos
Georg Seelos

Koordination der Unterstützung des BMLV:
Büro für Wehrpolitik
Präsidialabteilung A

Eigentümer, Herausgeber und Verleger: Österreichisches Jüdisches Museum in Eisenstadt.
A-7000 Eisenstadt, Unterbergstr. 6, Tel.: (02682) 5145
Druck: BMLV / Heeres-Druckerei, A-1030 Wien, Arsenal, Objekt 215
BMLV R 2478
ISBN 3-900907-01-3

Im Ersten Weltkrieg dienten rund 300 000 jüdische Soldaten in der k. u. k. Armee. Einige von ihnen gehörten den österreichisch-ungarischen Artillerie- und Transporteinheiten an, die zur Unterstützung der Türkei nach Palästina entsandt worden waren. Das Bild zeigt k. u. k. Soldaten an der Westmauer des Tempels in Jerusalem (''Klagemauer''), der heiligsten Stätte des Judentums (um 1917).

In the First World War some 300,000 Jewish soldiers served in the I&R Armed Forces. Some of them belonged to the artillery and transport units sent to Palestine to support the Turkish Army. This photo shows Austro-Hungarian soldiers praying at the Western Wall in Jerusalem (ca. 1917).

Foto/photograph: Central Zionist Archives, Jerusalem.

Das Verhältnis zwischen der jüdischen Bevölkerung im Osten und den k. u. k. Soldaten war meistens gut; die Habsburger galten als „Beschützer" der Juden. Im Bild Kaiser Karl I., beim Besuch einer jüdischen Gemeinde im Osten, ca. 1917.

The relationship between the Austro-Hungarian soldiers and the Jewish population in the East was generally good; the Habsburgs were often regarded as "protectors" of the Jews. Above: Emperor Charles I. visiting a Jewish community in the East, ca. 1917.

Foto/photograph: Heeresgeschichtliches Museum, Wien

"Wer in der alten ruhmreichen kaiserlichen Armee seinen Posten ausfüllte, der kam vorwärts, wurde belohnt, wurde ausgezeichnet, ohne daß nach der Konfession gefragt wurde.

"Deshalb wollen wir das Andenken und die Tradition dieser Armee hochhalten und pflegen und immer stolz sein, daß es uns vergönnt war, in den Reihen dieser Armee als Gleichberechtigte zu kämpfen."

Erklärung zum Programm des
"Bundes Jüdischer Frontsoldaten", Wien 1935.

Gewidmet der Erinnerung an
Univ. Prof. Dr. Franz "Papa" Gall
(17. August 1926 - 22. Juli 1982),
der es verstand, seine Bewunderung für die Alte Armee
seinen Schülern zu vermitteln.

Inhaltsverzeichnis

Table of Contents

Vorwort
Preface

VORWORT

DES HERRN BUNDESMINISTERS FÜR LANDESVERTEIDIGUNG

Gerade im „Gedenkjahr 1988" ist es für Österreich wichtig, sich mit seiner Vergangenheit auseinanderzusetzen, wobei Jahrestage verschiedener Art hiezu eine Möglichkeit bieten.

Ein derartiger Anlaß ist der zweihundertste Jahrestag der Einführung der Wehrpflicht für Juden im Jahre 1788. Diese Maßnahme, im Rahmen der Toleranzpolitik Kaiser Josefs II. erfolgt, war ein bedeutender Schritt auf dem Wege zur Gleichberechtigung der Juden in Österreich. Setzte doch die Erlangung bürgerlicher Rechte auch die Übernahme bürgerlicher Pflichten voraus - und dazu gehörte auch die Beteiligung an der militärischen Landesverteidigung. Die weitere Entwicklung, wie etwa die schrittweise Gleichstellung mit christlichen Soldaten, wird in diesem Band ausführlich dargestellt.

Das Verdienst der vom Österreichischen Jüdischen Museum in Eisenstadt organisierten Ausstellung und der vorliegenden Publikation liegt darin, dieses wichtige Kapitel österreichischer - und jüdischer - Geschichte sorgfältig aufbereitet und der Vergessenheit entrissen zu haben.

Hofrat Dr. Robert LICHAL
Bundesminister für Landesverteidigung

FOREWORD BY THE MINISTER OF DEFENCE

Particularly in 1988, Austria's "Year of Remembrance," it is important for Austria to deal with her past, and various anniversaries provide us with an opportunity to do just that.

One of these occasions is the two-hundredth anniversary of the day when conscription was introduced for Jews in 1788. This was a step further in the policy of religious toleration by Emperor Joseph II., and it marked an important step towards equal rights for the Jews in Austria. Performing civil duties was a prerequisite for obtaining civil rights - and that included contributing to military defence. This book gives a detailed account of the further developments, such as the step-by-step process of gaining equal rights with soldiers of Christian denominations.

Thanks to the efforts of the Austrian Jewish Museum in Eisenstadt, both in their exhibition and in this booklet, this important chapter in Austrian and Jewish history has been charted with great care and thus preserved for the future.

Hofrat Dr. Robert LICHAL

Minister of Defence

Einführung
Introduction

EINFÜHRUNG

Wer den Begleitband zur Ausstellung „Juden in der k. (und) k. Armee, 1788 - 1918" liest, lernt den schwierigen und dornenreichen Weg der Emanzipation des Judentums kennen. Im selben Maß, wie sie den einzelnen Juden die Gleichstellung und damit auch die bürgerliche Freiheit bringen sollte, bedeutete sie eine Existenzbedrohung für das Judentum als Gemeinschaft. Sowohl die in ihrem Selbstverständnis projüdischen Aufklärer als auch manche der arrivierten Juden teilten die überkommenen Ansichten, daß die Bindung an die herkömmliche Berufsstruktur der Juden, die eng verbunden war mit ihrem kulturellen und gesellschaftlichen Bewußtsein, überwunden werden müsse. Wer aus dem Ghetto heraustrat, sollte auch die Bildung und die Sehnsüchte des Ghettos hinter sich zurücklassen und so ein neuer Mensch werden. Das für den Geist der Aufklärung aufschlußreiche Buch von Christian Wilhelm Dohm, ‚Über die bürgerliche Verbesserung der Juden', Berlin 1781, hatte bereits einen zweideutigen Titel. Das Wort „Verbesserung" meint einerseits natürlich eine Verbesserung der Lebensbedingungen des Judentums durch Aufhebung der restriktiven antijüdischen Gesetze, andererseits aber auch, daß durch derartige legistische Maßnahmen die Juden ihrerseits „verbessert" werden sollten. Nirgends wird dieser Trend deutlicher als in der berühmt berüchtigten Erklärung von Clement-Tonnère 1789 in der Pariser Nationalversammlung: „Il faut tout refuser aux juifs comme nation, if faut tout leur accorder comme individues". Mit anderen Worten: Nicht das Judentum als solches galt als emanzipationswürdig und emanzipationsfähig, sondern nur die Juden als Einzelpersonen, und diese etwa im selben Maß, wie sie sich von ihrer Tradition gelöst hatten. Als Folge dieser Entwicklung nannte Heinrich Heine die Taufe das Entreebillet in die europäische Kultur. Daß die josefinische und franziszäische Judenpolitik letzthin keinen anderen Zweck verfolgte, geht aus einem Vortrag des Referenten der Vereinigten Hofkanzlei, Hofrat Karl von Widman, am 29. Dezember 1818 vor Kaiser Franz I. hervor: „Weiland Kaiser Josef II. hatte bald nach dem Antritte seiner Regierung zu erkennen gegeben: Seine Absicht gehe nicht dahin, die jüdische Nazion in den Erblanden mehr auszubreiten oder da, wo sie nicht toleriert ist, neu einzuführen, sondern nur da, wo sie ist, und in dem Maße, wie sie als toleriert besteht, dem Staate nützlich zu machen. In diesem Geiste wurde auch von E. M. Regierung fortgefahren.... indem man sich .... zum Ziele setzte, das Universum der Judenschaft unschädlich, die Individuen aber nützlich zu machen". Kein Wunder, daß die Einberufung der Juden zum Heer zum Teil vom gleichen Grundsatz bestimmt war. Durch gleiche bürgerliche Pflichten zu gleichen bürgerlichen Rechten oder umgekehrt! Was vom jüdischen Selbstverständnis und vom legitimen Verständnis der jüdischen Tradition dabei auf der Strecke blieb, kümmerte die Aufklärer nicht oder entsprach sogar ihren Tendenzen.

Bezeichnend für die Geringschätzung des Judentums an sich - zuerst durch den christlichen und dann durch den laizistischen Staat - war die Tatsache, daß bis zur Mitte unseres Jahrhunderts die jüdische Bildung von den Universitäten und wissenschaftlichen Akademien ausgeschlossen war. In seinem Buch ‚Zur Geschichte und Literatur', Berlin 1845, meinte noch Leopold Zunz euphorisch, daß die Rehabilitierung der jüdischen Kultur die Rehabilitierung des Judentums zur Folge haben müsse. Er meinte, daß es - 1845 - hoch an der Zeit sei, eine Professur für die Wissenschaft vom Judentum an der Berliner Universität einzurichten. Seine diesbezüglichen Versuche scheiterten, weil der preussische Kultusminister Ladenburg meinte, daß das Judentum vom Alten Testament und der Alten Geschichte zur Genüge an den Universitäten vertreten sei: Zu einer Zeit, da man bestrebt war, die humanistische Bildung auf die Kenntnis des Alten Orients, Ägyptens und Indiens auszudehnen, übersah man geflissentlich die jüdische Kultur, deren Pflege man entweder rabbinischen Ausbildungsstätten oder christlichen Missionsinstituten (Spätjudentumsforschung) überließ. Erst um die Mitte und in der 2. Hälfte unseres Jahrhunderts wurden in Österreich und Deutschland universitäre Forschungseinrichtungen für die jüdischen Wissenschaften gegründet.

Die jüdische Emanzipation stellte die Juden vor das Problem einer ‚mehrfachen Solidarität', vor der wir eigentlich alle stehen, meistens ohne daß wir uns dessen bewußt sind. Wir sind Christen, Juden oder Mitglieder einer politischen Partei oder eines Vereins, sind Bürger und Steuerzahler und haben lokalpolitische Interessen. Wir sind solidarische Mitmenschen, haben aber oft Tendenzen, die Andern zuwider laufen, die ebenfalls mit uns solidarisch sein könnten und sollten. Die jüdische Solidarität ist eine Solidarität ,sowohl als auch', sowohl der jüdischen Schicksalgemeinschaft gegenüber als auch dem jeweiligen Vaterland oder umgekehrt. So kam es notwendiger Weise auch zu Spannungszonen, wenn es darum ging, die Grenze zwischen den Forderungen des geliebten Vaterlandes und denen der geliebten Tradition zu ziehen. Mehr Dienst beim Militär war mit weniger Möglichkeit traditionstreuen Lebens verbunden. Kein Wunder, daß etliche Juden in den östlichen Kronländern und in der transleithanischen Reichshälfte oft der Treue zur Tradition den Vorzug gaben, während emanzipierte Juden in den mehr westlichen Kronländern nach dem Ehrenrock des Offiziers strebten. Die ganze Palette jüdischer Möglichkeiten, Gefährdungen und Chancen wird besonders deutlich, wenn man den Status der Juden im k. (und) k. Heer zum Ausgangspunkt einer Darstellung macht, obwohl bemerkenswerterweise gerade in der Armee der Antisemitismus weniger wirksam war als in anderen Bereichen.

Dr. Kurt Schubert
o.Univ. Prof.
Institut für Judaistik
Universität Wien

INTRODUCTION

This book supplementing the exhibition "Jews in the Habsburg Armed Forces" vividly documents the difficult and painful course of Jewish emancipation. To the same extent Jewish emancipation promised equality and eventually civil freedom to the individual, it also represented an existential threat to the Jewish community as a whole. Representatives of the Enlightenment, who regarded themselves as pro-Jewish, as well as some established assimilated Jews, shared the traditional view that the old fashioned economic structure of Jewish communities, which was an integral part of Jewish social and cultural self-perception, had to be overcome. Those who left the ghetto were supposed to leave the education and emotions of the ghetto behind them in order to become "new" people. Telling for the spirit of the Enlightenment, Christian Wilhelm Dohm's book, *On the Civic Improvement of Jews,* which appeared in Berlin in 1781, had an ambiguous title. On the one hand, improvement naturally meant an improvement of Jewish living conditions through the abolition of restrictive anti-Jewish legislation, but, on the other hand, Jews were also supposed to be "improved" by such legal measures. Clement-Tonnère's famous and infamous explanation in front of the Paris National Assembly in 1789 is one of the clearest examples of this trend: "Il faut tout refuser aux juifs comme nation, il faut tout leur accorder comme individues." In other words, Jews as such were not worthy of emancipation nor able to be emancipated, but Jews as individuals were to the extent that they abandoned their tradition. As a result of this development, Heinrich Heine called baptism the entrance ticket to European culture. In a report to Emperor Francis I. on December 29, 1818, Hofrat Karl von Widman, a representative of the imperial court's *Vereinigte Hofkanzlei,* illustrated to what extent the Josephinian as well as the Franciscen policy towards Jews pursued this goal: "Shortly after assuming the throne, Emperor Joseph II. let his government know that his intention was not to further spread the Jewish nation in the hereditary lands nor to introduce them to places, where they are not tolerated, but rather to make them useful to the state where they are and to the extent they are tolerated. Your Majesty's government has proceeded in this spirit .... in that it has .... set the goal of rendering the universe of Jewry harmless but making the individuals useful." It is no wonder that the conscription of Jews into the army was in part inspired by the same principle. Equal civic duties implied equal civil rights and vice versa. The consequences of this policy for the Jews' self-perception and for a legitimate understanding of the Jewish tradition were either not a concern of the proponents of enlightenment or expressed their aspirations.

The fact that the study of Judaism was excluded from universities and scholarly academies until the middle of our century was symptomatic of the low esteem of Jews and the Jewish tradition per se: a tendency of the Christian and then the secular state. In his book *On History and Literature*, (Berlin: 1845), Leopold Zunz euphorically stated that the rehabilitation of Jewish culture would lead to the rehabilitation of Jews. He thought that it was high time - in 1845 - to create a chair for the study of Jews at the University of Berlin. His attempts to do so failed because the Prussian Minister of Education Ladenburg said that the Jewish tradition was sufficiently represented by the study of the Old Testament and ancient history at the universities. Symptomatically, Jewish culture was conscientiously overlooked at a time when attempts were being made to extend humanistic education into the fields of the ancient Orient, Egypt, and India. The cultivation of Jewish culture consequently was left up to rabbinical schools or Christian missionary institutions. The first research facilities for the study of Judaism at Austrian and Germain universities were not founded until in the middle of this century.

Jewish emancipation confronted the Jews with the problem of "multiple loyalty," a problem with which we all are confronted but frequently do not recognize. We are Christians, Jews, members of a political party or association, citizens and taxpayers, and we have local political interests. We conduct ourselves in a spirit of loyalty yet frequently have the tendency to act against the interests of others who could and should join us in a spirit of solidarity. Jewish loyalty is a "this as well as that" loyalty: loyalty to the destiny of the Jewish community and loyalty to the respective fatherland or vice versa. Therefore, tensions were an inevitable consequence of drawing a line between the demands of the beloved fatherland and the beloved tradition. More military service meant fewer opportunities to live a life true to tradition. It is no wonder that many Jews in the eastern Crownlands and in the Hungarian half of the Dual Monarchy chose loyalty to tradition, whereas emancipated Jews in the western Crownlands sought the honour that went with an officer's uniform. Even though anti-Semitism was much less virulent in the army than in other realms of public live, the status of Jews in the I & R Army provides a point of departure that clearly illustrates the entire spectrum of Jewish options along with their inherent dangers and opportunities.

Professor Dr. Kurt Schubert
Institut für Judaistik
University of Vienna

Erwin A. Schmidl

JUDEN IN DER K. (u.) K. ARMEE
1788 – 1918

JUDEN IN DER K. (u.) K. ARMEE 1788 - 1918

Eine Untersuchung dieses Themas ist aus mehreren Gründen von Interesse. Erstens handelt es sich dabei um einen wichtigen Abschnitt in der Geschichte der österreichischen bzw. ungarischen Juden. Da der Militärdienst als eine Bedingung für die Gewährung der Bürgerrechte angesehen wurde, bildete er einen wesentlichen Schritt auf dem Wege zur Integration der Juden in die (christliche) Gesellschaft. Daneben stellt dieses Thema eine gut dokumentierte Fallstudie dar, die gleichzeitig einige Aufschlüsse zur Lage von Minderheiten im Militär ermöglicht. Einige der damals aufgetauchten Fragen wiederholen sich heute in zahlreichen Armeen bei der Integration von nationalen oder religiösen Minderheiten (oder auch Frauen). Ein weiterer Grund zur Behandlung dieses Themas ist heute allerdings nicht mehr aktuell: In früheren Untersuchungen stand sehr häufig das Anliegen im Vordergrund, die militärischen Fähigkeiten der Juden unter Beweis zu stellen und auf diese Weise traditionellen antijüdischen Vorurteilen entgegenzuwirken.[1] Diese Aufgabe haben seit nunmehr rund vierzig Jahren die Israelischen Streitkräfte übernommen; sie beweisen besser als jede historische Studie, daß Juden hervorragende Soldaten sein können.

In der Folge soll nur von Soldaten jüdischen Glaubens die Rede sein. Dafür gibt es zwei wesentliche Gründe: Zum einen wurden im 18. und 19. Jahrhundert getaufte Juden von der Gesellschaft weitgehend akzeptiert - der rassische Antisemitismus gewann erst gegen Ende des vorigen Jahrhunderts an Bedeutung. Es gibt keinen Grund zur Annahme, daß ein Soldat anders behandelt wurde, nur weil er jüdische Vorfahren hatte. Zum anderen aber läßt sich die jüdische Abstammung eines Soldaten in den vorhandenen Personalakten nur in Ausnahmefällen feststellen - beispielsweise, wenn der Betreffende erst nach Eintritt in das Militär die Religion wechselte. Sofern seine Religion in den Akten nicht ausdrücklich als „israelitisch" oder „mosaisch" angegeben wird, haben wir keinen Beleg für seine jüdische Abstammung und noch viel weniger dafür, ob er sich, obwohl getauft, weiterhin als Jude fühlte bzw. als solcher behandelt wurde oder nicht. Keineswegs sollen damit getaufte Soldaten jüdischer Abstammung als zweitrangig eingestuft werden. Aber eine einigermaßen verläßliche Quellenbasis ist nur bei einer Beschränkung auf Angehörige der jüdischen Religion gewährleistet.

Die gesellschaftliche Stellung der Juden vor 1788

Der jüdische Militärdienst im österreichischen Heer begann erst gegen Ende des 18. Jahrhunderts. Vor dieser Zeit galten Juden nicht als „wehrwürdig". Diese Ansicht stammte noch aus dem Mittelalter, als die Juden das Recht verloren hatten, Waffen zu tragen, dafür aber unter den Schutz des Kaisers bzw. des Landesherrn gestellt worden waren. Dies war zwar ursprünglich ein Privileg gewesen, doch entstand aus diesem positiv gedachten Vorrecht („privilegium honorabile") bald eine diskriminierende Maßnahme („privilegium odiosum").[2] In Kriegs- und Notzeiten unterstützten Juden dennoch die Maßnahmen zur Landesverteidigung, so bei der Verteidigung Prags gegen die Schweden am Ende des Dreißigjährigen Krieges (1618-1648). Allerdings wurden sie in der Regel für Hilfsdienste wie Schanzarbeiten und Feuerlöschen herangezogen; ihre Verwendung als Kämpfer bildete die Ausnahme.[3] Dementsprechend galten die militärischen Qualitäten der Juden als gering: der Hofkriegsrat, als Vorläufer des k. (u.) k. Kriegsministeriums die höchste militärische Behörde, betonte noch 1787, daß Juden nicht zum Militärdienst herangezogen werden könnten.[4]

Das Mißtrauen den Juden gegenüber war vielfältig. Im 16. und 17. Jahrhundert wurden sie häufig als feindliche Spione verdächtigt: für die Protestanten, die Türken, die Franzosen, die Preußen. Auch das war nicht neu. Schon 1420 war die Vertreibung der Juden aus Österreich mit ihrer angeblichen Unterstützung der Hussiten begründet worden, die damals gerade das nördliche Niederösterreich heimsuchten.[5] Für das 18. Jahrhundert finden sich in den Registern der Hofkriegsratsakten zahlreiche Hinweise auf jüdische Spione. Eine der Folgen war, daß Juden der Aufenthalt in Festungen und im Bereich der Militärgrenze untersagt war.[6] Noch 1744 befahl Maria Theresia allen Prager Juden, die Stadt zu verlassen, weil sie angeblich im

Zweiten Schlesischen Krieg (1744/45) die Preußen unterstützt hatten.[7] Für Armeelieferungen sollten möglichst christliche Händler den jüdischen vorgezogen werden. Da dieser Hinweis in den Akten regelmäßig wiederkehrte, liegt freilich der Verdacht nahe, daß es in der Praxis anders aussah. Immerhin waren die wichtigsten Lieferanten und Finanziers Juden; Samuel Oppenheimer (1630-1703) und Samson Wertheimer (1658-1724) waren wohl die bekanntesten unter ihnen. Sie finanzierten die Kriege des Kaisers und versorgten die Armeen Prinz Eugens von Savoyen mit dem notwendigen Kriegsmaterial für die Feldzüge gegen Franzosen und Türken.[8]

Wir dürfen aber nicht vergessen, daß alle diese Einschränkungen nur für Personen jüdischer Religion galten. Getaufte Juden - oder, je nach Standpunkt, Christen jüdischer Herkunft - wurden weitgehend akzeptiert und konnten daher auch ohne weiteres im kaiserlichen Heer dienen. Getaufte Juden konnten sogar Offiziere werden.[9] Ein gutes Beispiel für einen kaiserlichen Soldaten jüdischer Herkunft ist Joseph Wiener, der von 1749 bis 1754 im berühmten Infanterie-Regiment „Hoch- und Deutschmeister" als Korporal diente. Wiener war als Kind getauft worden.[10] Er entschloß sich allerdings bald, das Militär zu verlassen. Das bedeutete für die Armee den Verlust eines vielversprechenden Unteroffiziers, war aber für das Staatswesen ein großer Gewinn. Wiener wurde nämlich Minister und erlangte durch die Reorganisation des Rechtswesens große Bedeutung; er ist besser unter seinem Adelsnamen Joseph Freiherr von Sonnenfels bekannt.

DIE EINFÜHRUNG DES MILITÄRDIENSTES FÜR JUDEN

Die Hintergründe

Die Frage einer Einbeziehung der Juden in das kaiserliche Heer wurde aus mehreren Gründen gerade in den achtziger Jahren des achtzehnten Jahrhunderts aktuell. Bedeutend waren in erster Linie die Gedanken von Toleranz und Aufklärung, die für die Regierungszeit Kaiser Josefs II. so kennzeichnend waren.[11] Die Gewährung gewisser bürgerlicher Rechte mußte zwangsläufig auch zur Frage staatsbürgerlicher Pflichten wie dem Militärdienst führen. Für die Zivilverwaltung schien der Militärdienst darüber hinaus eine gute Möglichkeit zu sein, die Juden zu nützlichen Staatsbürgern zu erziehen. In der Begründung für diese Maßnahmen vermengten sich die Ideale der Aufklärung mit alten antijüdischen Vorurteilen und Klischeevorstellungen, wenn es hieß: ,,.... denn bekanntermassen bestünden die Nahrungswege der Juden im Handeln, Märkeln, im Schleichhandel von verschiedenen Handwerken, hie und da im Fuhrwerke und endlich im Betrügen und Übervortheilung des [christlichen] Unterthans, im Stehlen und Rauben; doch wäre es ebenso möglich als nothwendig, diese Menschen zu nützlichen Staatsgliedern zu machen."[12] Daher hatten Josef II. und seine Mitarbeiter schon in früheren Verordnungen versucht, für die Juden zusätzliche Berufsmöglichkeiten zu schaffen und sie so, wie es 1781 hieß, ,,durch vermehrte und erweiterte Nahrungswege von dem ihnen so eigenen Wucher und betrügerischen Handel" abzubringen. Der anonyme Autor der 1781 in Prag erschienen Broschüre: ,,Beleuchtung der Materie über die Duldung der Juden von einem Freunde der Wahrheit, Menschlichkeit und Aufklärung" forderte ausdrücklich neben anderen Maßnahmen die Einziehung der Juden zum Militär, ,,damit sie endlich einmal aufhören, ein besonderes Volk, einen statum in statu zu bilden." Es muß festgehalten werden, daß Josefs II. reformistische Politik noch nicht auf eine Gleichberechtigung der Juden abzielte, sondern lediglich auf eine ,,Toleranz", also ,,Duldung". Das Ziel der josefinischen Judenpolitik wurde in einem Akt aus dem Jahre 1788 klar umrissen: Es ging darum, „die Juden in Galizien in eine nützlichere Klasse der Menschen umzugestalten und ihre Anzahl zu vermindern."[13]

Ein weiterer Grund für die Einbeziehung der Juden zum Militär war, daß im Zuge einer großen Reorganisation des kaiserlichen Heerwesens in den siebziger Jahren die bisherige Anwerbung von Söldnern auf freiwilliger Basis durch ein neues System ersetzt wurde, die sogenannte „Konskription". Bis in die Mitte des 18. Jahrhunderts waren die Regimenter weitgehend selbständig gewesen, mit ihren eigenen Vorschriften, Exerzierreglements und Uniformen. Erst 1737 wurde die erste für das gesamte Heer gültige Vorschrift erlassen. Von da an, vor allem unter Maria Theresia (1740-1780), wurden die österreichischen Streitkräfte langsam zu einer geordneten Armee, mit einheitlichen Reglements und Uniformen. Gleichzeitig wurde der Einfluß der Stände (d.h. des Adels und des hohen Klerus) auf das Militär zurückgedrängt. Die Lebensbedingungen der einfachen Soldaten wurden verbessert, ihr Selbstwertgefühl sollte gehoben werden. Obwohl die Mehrzahl der Soldaten Freiwillige („Söldner") waren, waren die Lebensbedingungen hart und die Desertionsrate entsprechend hoch. 1740 desertierten während des Marsches eines Regiments von Österreich in die damaligen österreichischen Niederlande (heute Belgien) nicht weniger als 13 Prozent der Soldaten.[14] Einer der Gründe dafür war die zumindest in der Theorie lebenslange Militärdienstzeit.

Zu den Reformen, die unter Maria Theresia und ihrem Sohn Josef II. eingeleitet wurden, gehörte die Einführung eines neuen, billigeren Rekrutierungssystem. Angesichts der zunehmenden Größe der Armee wurde die Anwerbung von Freiwilligen immer teurer. Außerdem war durch die österreichischen Erbfolgekriege (1740-1747) die Stellung der Habsburger im Heiligen Römischen Reich Deutscher Nation geschwächt worden; dadurch waren auch die Möglichkeiten verringert, Freiwillige im Reich außerhalb der österreichischen Erblande anzuwerben. Bis dahin war diese „Reichswerbung" eine wichtige Rekrutierungsmöglichkeit gewesen. 1766 wurden den Regimentern fixe Garnisonen und Rekrutierungsbezirke zugewiesen; fünf Jahre später wurde ein „Konskriptionssystem" nach preußischem Vorbild eingeführt. Lediglich Ungarn und Tirol behielten vorerst das Vorrecht der ausschließlich freiwilligen Heeresergänzung. Die Konskription bedeutete die Erfassung der gesamten männlichen Bevölkerung in Listen. Aus dieser Zeit stammen daher die ersten genauen Volkszählungen sowie die Einführung der Hausnummern („Konskriptionssnummern"), die noch heute an älteren Häusern erkennbar sind. Anhand dieser Unterlagen und des errechneten Rekrutenbedarfes wurde den örtlichen „Behörden" - in der Regel den Stadtverwaltungen bzw. den Grundherrschaften - aufgetragen, eine bestimmte Anzahl von Rekruten zu stellen, ob diese sich freiwillig meldeten oder nicht.

Diese „Konskription" ist nicht mit der Wehrpflicht im modernen Sinn zu vergleichen. Zum einen waren die Oberschichten (Adelige, Geistliche, Beamte und „Honoratioren" wie Juristen, Ärzte, Lehrer), Gewerbetreibende, Hausbesitzer sowie Teile der bäuerlichen Bevölkerung vom Wehrdienst befreit. Nur die Unterschichten und „sonstige müßige Leute" (nach Josef II. „hauptsächlich Livreebediente, Reitknechte, Friseurs") mußten einrücken. Da der Militärdienst immer noch lebenslänglich war (nur Ausländer konnten „Kapitulationen" auf eine bestimmte Zeit eingehen), war die Zahl der eingezogenen Rekruten sehr gering. Die Vorauswahl der zukünftigen Soldaten war Aufgabe der örtlichen Verwaltung: diese sah die Konskription als hervorragende Gelegenheit, Trunkenbolde, Vagabunden und Landstreicher loszuwerden oder stellte sogar offensichtlich untaugliche Männer.[15]

Juden waren zunächst von der Konskription ausgenommen. Maria Theresia selbst hatte nur wenige Jahr zuvor festgestellt: „Von ihrer Zulassung zum Heer kann keine Rede sein!" Statt dessen mußten sie eine besondere Steuer in der Höhe von 50 Gulden entrichten; dies sollte jener Summe entsprechen, die notwendig war, einen Ersatzmann auf dem „freien Markt", d. h. durch Reichswerbung, anzuheuern. Sehr bald tauchte aber der Vorschlag auf, auch die Juden in den Militärdienst einzubeziehen, um die Belastungen gleichmäßiger auf die Gesamtbevölkerung zu verteilen.[16]

Diese Frage gewann besondere Bedeutung, als Österreich zwischen 1769 und 1775 die bis dahin polnischen Gebiete Galizien und Lodomerien sowie die türkische Bukowina besetzte. Da in diesen Provinzen eine große Anzahl Juden lebte (etwa 184 448 im Jahre 1784, verglichen mit 69 586 in den habsburgischen Erblanden und rund 100 000 in Ungarn), tauchte die Frage des jüdischen Militärdienstes zwangsläufig auf, als das Konskriptionswesen auf diese Provinzen ausgedehnt wurde. Darüber hinaus sahen die Behörden im Militärdienst eine gute Gelegenheit, die jüdische Bevölkerung zu „germanisieren", um sie so leichter in das Staatswesen eingliedern zu können.[17]

Gelegentlich wurde behauptet, daß der Soldatenmangel im Türkenkrieg von 1788-91 einer der Gründe für die Einführung der jüdischen Dienstpflicht war. Dies scheint wenig wahrscheinlich. Nicht nur, daß die Frage schon vor Ausbruch der Feindseligkeiten entschieden wurde: Die Militärs wandten sich vehement gegen diese Idee, die den „Aufklärern" in der Vereinigten Böhmisch-Österreichischen Hofkanzlei (entsprechend etwa dem heutigen Innenministerium) eingefallen war. Der Hofkriegsrat, die oberste militärische Behörde, versuchte mehrmals, die Frage jüdischer Soldaten aufzuschieben - zumindest bis nach Ende des Türkenkrieges. Ohne Erfolg argumentierte der Hofkriegsrat, daß man gerade einen Krieg führe und daher selbst ohne jüdische Soldaten genügend Probleme habe.[18]

Ein erster Versuch: 1785

Die Vereinigte Böhmisch-Österreichische Hofkanzlei stellte 1785 erstmals die Frage, „ob und wie die Juden allenfalls zu den Militär-Fuhrwesen zu verwenden seyen." Dieser Vorschlag wurde vom Hofkriegsrat sofort zurückgewiesen: "Das Kaiserliche Fuhrwesen werde ordentlich montirt, sey mit Staabs-, Ober- und Unter-Officiers besetzt, und gehöre zum Militär-Stand, wozu die Juden nicht verwendet werden können."[19] Freilich wäre es ohne Schwierigkeiten möglich, Juden zu Vorspann- und Fuhrdiensten heranzuziehen. Es ist anzunehmen, daß dies schon vor 1785 mehr oder weniger regelmäßig der Fall war. Immerhin gab es bis in die siebziger Jahre des 18. Jahrhunderts kein eigenes „Militär-Fuhrwesens-Corps" im kaiserlichen Heer. Fahrzeuge und Gespanne wurden vielmehr nach Bedarf angemietet oder ausgehoben, und es ist unwahrscheinlich, daß man dabei auf die Religion der Betroffenen achtete.

Erst im April 1776 wurde ein eigenes Fuhrwesens-Corps geschaffen, das auch in Friedenszeiten bestand. Eine ähnliche Einheit hatte von 1771 bis 1774 bestanden, war aber wieder aufgelöst worden. Die Errichtung des Fuhrwesens-Corps war ähnlich wie die Einführung der Konskription Bestandteil der umfassenden Reform des Heerwesens. Zu der zentralistischen Heeresverwaltung, wie sie unter Maria Theresia und Josef II. geschaffen wurde, gehörte ein entsprechendes Verpflegswesen. Im Frieden bestand dieses Fuhrwesens-Corps zunächst aus vier Kompanien unter einem Oberstleutnant und umfaßte insgesamt 821 Mann und 448 Pferde. Aber die neue Organisation wuchs rasch: 1788 wurden für den beginnenden Türkenkrieg nicht weniger als 7 937 Mann mit 14 581 Pferden und 14 310 Ochsen bereitgestellt, um die 7 112 Wägen zu befördern, die nötig waren, eine Armee von fast 300 000 Mann zu versorgen. Von diesen fast 8 000 Mann waren nicht alle reguläre Soldaten des Fuhrwesens-Corps; aber die rasche Ausweitung dieser Truppe wird dennoch deutlich. Eine Armee zu versorgen, war schon im 18. Jahrhundert ein mühsames Unterfangen.

Bezeichnenderweise begann der jüdische Militärdienst im Fuhrwesen und nicht bei der kämpfenden Truppe. Da Juden jahrhundertelang keine Waffen führen durften, aber mit Handel und Fuhrwesen zu tun hatten, erschien es logisch, sie ins militärische Fuhrwesen einzubeziehen. Dieses hatte trotz seiner großen Bedeutung einen viel schlechteren Ruf als die kämpfende Truppe; üblicherweise wurden mindertaugliche Rekruten dahin abgeschoben. 1797 beklagte Feldzeugmeister (später Generalfeldmarschall) Josef Baron Alvinczy de Borberek, daß „das Fuhrwesen .... als das erste, kostspieligste, nützlichste und unumgänglich nothwendigste Übel zu betrachten [wäre]. Daher wären die Truppen von dem gewöhnlichen Vorurtheil zu heilen, das Fuhrwessen als das letzte anzusehen."[20] Alvinczys Ermahnung blieb ohne Erfolg.

1785 war es dem Hofkriegsrat gelungen, die Einführung des Militärdienstes für Juden zu verhindern. Noch im Juli 1787, wenige Monate vor der endgültigen Entscheidung in dieser Angelegenheit, wurde ein Jude, der sich freiwillig zum Heer melden wollte, abgewiesen.[21]

Die Einführung der Militärpflicht für Juden 1788/89

Einen neuen Vorstoß, Juden zum Militär einzuberufen, unternahm die Hofkanzlei im Dezember 1787. Dem Vorschlag lag ein Antrag des Gouverneurs von Galizien, Joseph Grafen Brigido, vom 20. August 1787 zu Grunde: „Durch diese Verfügung würden nicht nur viele Juden vom Müssiggange entfernt und dem Staate nützlich gemacht, sondern auch das bei dem Militär noch vorherrschende Vorurteil nach und nach aus dem Wege geräumt werden, daß die Juden, die doch zum Soldatenstande ebenso wie andere gesunde Menschen taugen und die zur Beschützung des Staates mit allen übrigen Bürgern gleiche Verbindlichkeit haben, von diesem Stande ausgeschlossen bleiben müßten". Diesmal wurde der Hofkriegsrat erst gar nicht eingeschaltet. Am 18 Februar 1788 entschied Kaiser Josef II., daß „die Juden auch zu dem Militärstande tauglich und, wenigstens vom Anfang, zu dem Fuhrwesen, dann zu der Artillerie als Stuckknechte zu verwenden, und gleich bei jetzigem Kriege dazu abzugeben" seien.[22] Obwohl sich diese Entscheidung zunächst nur auf die Juden aus Galizien bezog, wurde die jüdische Militärpflicht am 4. Juni 1788 auf alle habsburgischen Länder ausgedehnt.[23]

Anders als drei Jahre zuvor blieben die Einwendungen des Hofkriegsrates 1788 ohne Erfolg. Der Hofkriegsrat verwies vor allem auf die Probleme, die durch die jüdischen Speisevorschriften sowie die strengen Sabbatgebote entstünden: Es wäre dem Militär nicht möglich, darauf gebührend Rücksicht zu nehmen. Hatte der Hofkriegsrat gehofft, mit diesem Einwand den „schwarzen Peter" der Hofkanzlei zurückzuspielen, so holte er sich damit eine kalte Abfuhr. Selbst in der geschliffenen Sprache des 18. Jahrhunderts war der zynische Unterton in der Antwort der Hofkanzlei unverkennbar: „Weil man den Einfluß, den die politische Behörde auf die Befolgung der höchsten Willensmeinung zu nehmen hat, blos auf die Stellung der Juden zur

Assentirung beschränkt zu seyn glaubt," wolle man sich in derartige Probleme nicht einmischen:

> „Die Art, wie sie nach geschehener Assentirung zu behandeln und wie ihre Religions-Gebräuche mit der Militär-Verfassung zu vereinbaren seyen, oder jenen nach dem Beispiel ander[er] Glaubensgenossen einiger Zwang angethan werden könne, [werde] als ein Gegenstand betrachtet ..., der in die Wirksamkeit der Militärbehörde allein einschlägt ... Nur muß man sich die Bemerkung erlauben, daß die Juden, wenigstens die Galizischen, zwar am Sabath freywillig verrichtete, nicht aber auch jene Beschäftigungen, zu denen sie gezwungen werden, als eine Übertretung ihres Gesetzes ansehen. Wenn dieses einestheils die tägliche Erfahrung bei entstehenden Feuersbrünsten und dergleichen öffentlichen Unglücksfällen vielfältig bestätigt hat, so läßt sich anderentheils die Vereinbarlichkeit des jüdischen Religions-Gesetzes mit dem Kriegsdienste, oder doch die Möglichkeit einer Ausnahme von jenem, wenn es dieser erfordert, nicht wohl in Abrede stellen, ohne die Glaubwürdigkeit der alten Geschichte zu leugnen, welche die Juden zu eben der Zeit, da sie ihrem Gesetze am treuesten waren, als ein kriegerisches und öfters siegreiches Volk schildert."[24]

Mit diesem Hinweis war keine der angesprochenen Schwierigkeiten gelöst. Doch der Hofkriegsrat hatte keine Chance. Noch 1790 wies er auf die jüdischen Religionsgesetze hin und folgerte in der vergeblichen Hoffnung, die Entscheidung von 1788 rückgängig zu machen: „So dörften schon aus diesem alleinigen Anbetracht die Juden von dem Militär-Stande auszuschließen seyn."[25]

Waren die Bedenken hinsichtlich der jüdischen Religionsgesetze zum Teil berechtigt, zum Teil aber nur vorgeschobene Argumente, so vermochte die Berufung der Hofkanzlei auf die alttestamentlichen militärischen Qualitäten der Juden den Hofkriegsrat keineswegs zu überzeugen. Die Bewährung der damaligen Juden sagte schließlich nichts aus über die Eignung ihrer Nachfahren zum Militärdienst im 18. Jahrhundert, unter ganz anderen Bedingungen. Die Haltung des Militärs war der Einstellung verschiedener Kolonialmächte den Eingeborenen gegenüber vergleichbar. Die Eingeborenen bzw., im Stil der Zeit, die „Wilden" galten einerseits zur modernen Kriegführung wenig geeignet; andererseits wurde streng zwischen befähigteren „Kriegervölkern" (sogenannten „martial races" wie etwa den Sikhs und Gurkhas in Indien oder den Zulus in Südafrika) und ihren zum Kriegsdienst überhaupt untauglichen Landsleuten anderer Stammeszugehörigkeit unterschieden. Es war dies übrigens nicht die einzige Parallele zwischen den Verhältnissen in Galizien und den kolonialen Aktivitäten anderer Mächte in Übersee.

Im Jahre 1789 wurde die Einziehung der Juden zum Militär in die neue „Judenordnung" für Galizien aufgenommen. Diese war das fortschrittlichste der insgesamt acht Toleranzpatente für Juden, die zwischen 1781 und 1789 erlassen wurden und sollte als Modell für die zukünftige Judenpolitik Josefs II. dienen.[26] Gegenüber der Bestimmung von 1788 wurde die Möglichkeit eröffnet, nicht nur im Fuhrwesen, sondern auf Wunsch auch in der Infanterie zu dienen: „Jenen Juden aber, die eigens statt den Fuhrwesen [zugeteilt] lieber unter dem Feuergewehr dienen zu wollen verlangen, wird dies zugestanden werden." Obwohl die Gültigkeit der Judenordnung selbst auf Galizien beschränkt war, wurde diese Klausel auf alle habsburgischen Länder ausgedehnt.[27] Der Hofkriegsrat stand dem reformistischen Eifer der Hofkanzlei machtlos gegenüber. Die Idee, Juden auch in der kämpfenden Truppe zu verwenden, war schon 1788 erwogen worden, damals aber dem Einspruch des Hofkriegsrates zum Opfer gefallen.[28] Ebenfalls 1789 wurde - nachträglich - die Eidesformel festgelegt, die jüdische Soldaten zu leisten hatten. Die für Christen übliche Formel: „So wahr mir Gott helfe und das Heilige Evangelium, durch Jesum Christum, unseren Herrn!" wurde durch die Formulierung ersetzt: „So wahr uns Gott durch die Verheißung des wahren Messias und Seines Gesetzes und die zu unseren Vätern gesandten Propheten zum Ewigen Leben helfen werde!" Der Schwur sollte auf die Thora abgelegt werden.[29]

JÜDISCHE REAKTIONEN AUF DIE EINFÜHRUNG DER MILITÄRPFLICHT

Die Reaktionen der jüdischen Gemeinden auf die neuen Gesetze waren uneinheitlich. Viele Juden, vor allem die aufgeklärteren in den westlichen Ländern (Böhmen, Niederösterreich, und vor allem Triest), begrüßten die Einführung der Militärpflicht als Gelegenheit, ihre Fähigkeiten unter Beweis zu stellen und durch die Übernahme bürgerlicher Pfichten die gleichen Rechte wie ihre christlichen Landsleute zu erhalten.[30] Der bekannte Prager Rabbiner Ezechiel Landau forderte die ersten jüdischen Rekruten aus Prag auf, ihre Aufgaben tapfer und treu zu erfüllen, dabei aber auch den religiösen Gesetzen treu zu bleiben. Er schenkte jedem Rekruten eine Pfeife mit der Aufschrift: „Seyd Gott getreu und dem Kayser!"[31] Andere Reaktionen waren allerdings weniger zustimmend. Das galt vor allem für die tiefreligiösen orthodoxen jüdischen Gemeinden im Osten. Für sie stellte der jüdisch Militärdienst vor allem eine Bedrohung der jüdischen Sonderstellung dar; durch den Militärdienst würden zahlreiche junge Juden ihrer Herkunft und ihrer Religion entfremdet werden. Gerade die von aufgeklärten Juden im Westen erhofften Auswirkungen stellten für diese Gemeinden eine Bedrohung dar: die Assimilierung in die nichtjüdische Gesellschaft. Ironischerweise wurden in diesem Zusammenhang die selben Einwände vorgebracht, die auch der Hofkriegsrat angesprochen hatte, nämlich die Schwierigkeit, im Militär die jüdischen Speise- und Feiertagsvorschriften zu befolgen.[32] Wir müssen uns hier allerdings vor Verallgemeinerungen hüten. Zum einen gab es auch im Osten Gemeinden, die die Einführung der Militärpflicht begrüßten. Zum anderen aber fiel es zahlreichen Juden im Westen verhältnismäßig leicht, für einen jüdischen Militärdienst einzutreten. Dank ihrer privilegierten Stellung als „Honoratioren" bzw. „Tolerierte" waren sie von der Konskription ohnedies nicht betroffen.

Ein zusätzliches Problem ergab sich aus der Tatsache, daß die österreichische Armee jener Jahre sich nicht nur als eine christliche Armee verstand im Gegensatz zu den Türken, die damals als „Heiden" galten. Sie war vielmehr betont römisch-katholisch. Maria Theresia, wie viele Habsburger besonders fromm, hatte dafür gesorgt, daß Religion und Gottesdienst in der Armee als Mittel der, wie wir heute sagen würden, „inneren Führung" eingesetzt wurden. Dadurch sollten das Zusammengehörigkeitsgefühl und die Motivation der Soldaten gestärkt werden; jeder Soldat sollte wissen, daß er durch den Dienst in der österreichischen Armee nicht nur dem Kaiser, sondern auch Gott diente. Allerdings sollte man diesen Punkt nicht überschätzen. Vor allem im 19. Jahrhundert hatte der typische kaiserliche Soldat eine eher pragmatische „Einstellung zu Gott und den letzten Dingen .... [so daß er] seine befohlenen Kirchparaden mitmachte, im übrigen aber jeden nach seiner Fasson selig werden ließ," wie dies Edmund Glaise von Horstenau ausdrückte. Oberst Theodor Ritter von Zeynek schrieb in seinen Memoiren ähnlich:

> „Wir kümmerten uns wenig um kirchliche Angelegenheiten, es war uns gleichgültig, ob ein Soldat Katholik, Protestant, Griechisch-Uniert oder -nicht-Uniert war. Vom Kirchenbesuch waren wir dispensiert, auch die Feldmessen waren nur eine militärische Feier, bei der das Hauptaugenmerk darauf gerichtet war, daß die Generaldecharge gelang - ein Schuß, ein Krach! Vom Geistlichen verlangten wir, daß die Messe nicht lange dauere und daß er während der Volkshymne, die nach der Messe gespielt wurde, den Altar nicht verlasse. Daß der kaiserliche Hof und besonders der Thronfolger fromm war, betrachteten wir als Eigenart der Dynastie, die für die Armee nicht verpflichtend war. Dabei gab es aber bei uns keine Gottlosigkeit und der Respekt vor religiösen Sitten und Bräuchen war selbstverständlich."[33]

Wir können einige Hinweise auf die jüdische Einstellung dem Militär gegenüber einem Roman entnehmen, den Karl Emil Franzos (1848-1904) im Jahre 1880 schrieb. In „Moschko von Parma" schilderte er das Leben eines galizischen Juden namens Moschko Veilchenduft, der im Infanterie-Regiment Nr.24 „Carl Ludwig, Herzog von Parma" (daher der Titel des Romans) die italienischen Feldzüge von 1848-49 mitgemacht haben soll. Franzos schilderte lebhaft, wie selbst im 19. Jahrhundert die Einberufung eines Juden zum Militär im ostjüdischen „Stedtl" (Dorf) beklagt und bejammert wurde, als ob er gestorben wäre - während es schlichtweg als Verrat an den jüdischen Idealen galt, freiwillig zum „Sellner" (Söldner, Soldaten) zu werden. Wir dürfen allerdings nicht vergessen, daß Franzos, selbst ein galizischer Jude, seiner Heimat mit sehr gemischten Gefühlen gegenüberstand. Die galizischen Juden waren für ihn "fromm, faul und feige".

Die Möglichkeit des Freikaufs vom Militärdienst

Zahlreiche jüdische Gemeinden brachten Bittschriften ein und boten beträchtliche Zahlungen an, um dem Militärdienst zu entgehen.[34] Diese Praxis wurde aber erst nach Josefs II. Tod, 1790, ermöglicht. Sein Nachfolger, Leopold II. (1790-92), erlaubte jüdischen Rekruten den Loskauf gegen eine Gebühr von 30 Gulden - eine Summe, die etwa dem Jahreseinkommen eines Kutschers oder dem doppelten Jahreseinkommen eines Knechtes entsprach. Lediglich in Ungarn wurde die jüdische Militärpflicht gänzlich aufgehoben, da Leopold II. auf einen Antrag des Hofkriegsrates vom 12. April 1790 entschied: „Von der Aushebung der Juden zum Militär-Fuhrwesen hat es ... in Ungarn glatterdings abzukommen, jedoch haben selbe ... für diese Befreiung eine verhältnismäßige Entschädigung, wozu sie sich bereits selbst anheischig gemacht haben, im Gelde zu leisten."[35] Wenig später wurde angesichts der ungarischen Proteste die Konskription (auch der christlichen Untertanen) in Ungarn zur Gänze ausgesetzt.

Später wurde die sogenannte „Reluierungs-" bzw. „Reluitionsgebühr" von 30 auf 150 Gulden angehoben. Man schätzte nämlich, daß es durchschnittlich 70 Gulden kostete, einen Freiwilligen im Reich anzuwerben - und für 150 Gulden sollten zwei ausländische Freiwillige angeworben werden, um gleichzeitig einen Juden (der alles bezahlte) und einen christlichen Rekruten freizustellen. In den ersten Jahren funktionierte dieses System offenbar: 1793 beispielsweise wurden von 300 jüdischen Rekruten aus Galizien nur drei nicht in Geld „abgelöst".[36] Die Kriege gegen das revolutionäre Frankreich und dann gegen Napoleon Bonaparte änderten dies freilich rasch.

Der Bedarf an Soldaten wuchs und die Christen fühlten sich durch das jüdische „Privileg", zu zahlen anstatt selbst zu dienen, benachteiligt. In der vereinfachten Darstellung sah dies für manche Kritiker so aus, daß sich die armen Christen im Felde in Lebensgefahr begeben müßten, während die Juden im sicheren Hinterland dem Geldverdienen frönten.[37] Die „Reluierung" wurde daraufhin erschwert: Jüdische Rekruten mußten die zum Loskauf notwendige Summe selbst aufbringen, während sie bis 1793 zumeist von den Gemeinden bezahlt worden war. Schließlich wurde die Reluierung 1806 ganz abgeschafft.[38] Staatsrat Friedrich Freiherr von Eger hatte sich dafür schon 1792 eingesetzt, denn, so meinte er: „nichts wäre bequemer, als ein Jude zu seyn, ... die beschwerlichste und gefährlichste Staatspflicht aber blos an die Christenheit abzutreten."[39] Während der Napoleonischen Kriege wurde 1799/1800 übrigens auch die Konskription in Ungarn wiedereingeführt, wo sie nach Josefs II. Tod 1790 suspendiert worden war.[40] Die Gesuche mancher jüdischer Gemeinden, vom Militärdienst gegen Bezahlung befreit zu werden, dauerten allerdings bis in die dreißiger Jahre des 19. Jahrhunderts an und tatsächlich wurden während der Friedensjahre des „Biedermeiers" (der Zeit nach 1815) gelegentlich Ausnahmen gewährt. Unabhängig von der Religion bestand seit 1828 die Möglichkeit, Ersatzleute zu stellen. 1848/49 wurde für einige Zeit erneut die Möglichkeit eines Loskaufs - wieder ungeachtet der Religion des Betroffenen - um eine Summe von 500 bis 700 Gulden eingeführt; das Geld sollte dem Ersatzmann zugute kommen.[41]

An dieser Stelle soll festgehalten werden, daß Österreich zu den ersten Ländern in Europa gehörte, die in der Neuzeit Juden zum Militärdienst heranzogen. Großbritannien und die Niederlande bildeten eine Ausnahme; doch selbst in der britischen Armee konnten Juden erst 1828 zu Offizieren ernannt werden, rund zwanzig Jahre später als in Österreich. 1787 hatte eine Gruppe preußischer Juden den König ersucht, im Heer dienen zu dürfen, doch hatte das Oberkriegskollegium, die oberste Militärbehörde, 1790 entschieden, „daß die Juden wohl nicht für den Militärdienst brauchbar gemacht und dabei werden employirt werden können." Erst 1812 wurden Juden in Preußen zum Militärdienst eingezogen, doch bestanden gewisse Einschränkungen bis 1845. In Frankreich wurden Juden erst nach der Revolution, 1791, eingezogen. In Polen waren Juden seit 1679 vom Militärdienst befreit, mußten dafür aber (wie auch in anderen Staaten) eine besondere Steuer entrichten. Ähnlich war es in Rußland bis 1827, obwohl jüdische Rekruten auch nach diesem Zeitpunkt ihren christlichen Kameraden nicht gleichgestellt waren. (In Rußland wurde übrigens noch 1908 der Versuch unternommen, Juden erneut vom Heer auszuschließen). Im italienischen Königreich Piemont-Sardinien durften Juden ab 1848 im Militär dienen; in Rumänien erst ab 1876.[42]

Koscheres Essen und Dienst am Sabbat

Wie schon erwähnt, gehörte es zu den wichtigsten Argumenten gegen einen jüdischen Militärdienst, daß die Armee auf die strengen jüdischen religiösen Gesetze nur wenig Rücksicht nehmen konnte. Da dieses Problem nicht nur in den Anfangsjahren jüdischen Militärdienstes aktuell blieb, sollen hier, abweichend vom chronologischen Aufbau, auch spätere Quellen herangezogen werden.

Die jüdischen Gebote hinsichtlich des Sabbats und der besonderen Feiertage sind weit strenger als die entsprechenden christlichen Sonntagsgebote; Arbeit und Reisen sind am Sabbat (d. h. von Freitag Abend bis Samstag Abend) und an Feiertagen ausdrücklich verboten. Auf eine diesbezügliche Anfrage des Hofkriegsrates stellte die Hofkanzlei im März 1788 allerdings fest, „daß die Juden, wenigstens die Galizischen, zwar alle am Sabbat freywillig verrichteten, nicht aber auch jene Beschäftigungen, zu denen sie gezwungen werden, als eine Übertretung ihres Gesetzes ansehen." Überdies hätten sie, wie im Alten Testament nachzulesen, in biblischen Zeiten tapfer gekämpft, während sie ihre religiösen Gesetze streng befolgten; es sollten daher aus dieser Bestimmung keine weiteren Probleme entstehen.[43] Auf eine neuerliche Anfrage des Hofkriegsrates entschied Kaiser Josef II. im April 1788, daß die jüdischen Soldaten „wie die anderen Knechte von Christen[glauben] ohne Unterschied der Lage zu allen Diensten gebraucht werden" sollten; als einzige Ausnahme war „denselben nur zu gestatten, daß sie in Kameradschaften unter sich kochen."[44] In der galizischen Judenordnung von 1789 war bestimmt worden: „Es wird darauf [auf ihre religiösen Verpflichtungen] auch insoweit Rücksicht genommen werden, daß sie am Sabbat zu keiner anderen Arbeit angehalten werden sollen, als welche allenfalls die Not fordert, und wozu auch Christen an Sonn- und Feiertagen angehalten werden." In einer Denkschrift einer Gruppe österreichischer Juden aus dem Jahre 1790 wurden rabbinische Argumente für einen jüdischen Militärdienst auch am Sabbat zitiert.[45] Im Jahre 1792 betonte ein Hofdekret, „daß ihre religiösen Pflichten durch die militärischen Verpflichtungen keine Einbuße erleiden" dürften.[46]

Im allgemeinen mußten jüdische Soldaten in Friedenszeiten zwar am Sabbat Dienst tun, hatten aber keine schweren Arbeiten zu verrichten. Neben den Wachdiensten (wie sie christliche Soldaten auch am Sonntag leisten mußten) wurden die jüdischen Soldaten in der Regel dazu angehalten, ihre Unterkünfte und Uniformen zu reinigen. Besuche in der nächsten Synagoge wurden nach Möglichkeit gestattet.[47] Ein Ansuchen um Dienstfreistellung am Sabbat wurde 1888 abgelehnt.[48] Übrigens hatten auch die christlichen Soldaten lange Zeit keine freien Sonntage; erst zu Beginn des 20. Jahrhunderts wurde das Exerzieren und die Abhaltung von Unterrichten an Sonntagen verboten. Die Mannschaften sollten mindestens zweimal im Monat die Sonntagsmesse besuchen.[49] In Kriegszeiten war es kaum möglich, auf religiöse Vorschriften der Soldaten, gleich welcher Konfession, Rücksicht zu nehmen. Ein jüdischer Unteroffizier, der den Ersten Weltkrieg mitgemacht hatte, lachte nur, als er auf den Dienst am Sabbat angesprochen wurde, obwohl er aus einer sehr religiösen Familie stammt.[50]

Den strengen jüdischen Speisegesetzen zufolge muß Fleisch nicht nur von rituell geschlachteten („geschächteten") Tieren stammen, sondern auch in getrennten Gefäßen und Küchen zubereitet werden. Dies bereitete im Heer größere Schwierigkeiten. Josef II. hatte zwar 1788 zugestanden, daß die jüdischen Soldaten beim Fuhrwesen in eigenen Kameradschaften, d. h. in Gruppen von vier bis sieben Mann, zusammen bleiben sollten: „Um dieselben jedoch nicht in verschiedene Regimenter zu zerstreuen, sollen sie insgemein bloß dem Militärfuhrwesen vorbehalten bleiben, wo sie nach ihren Religionsbegriffen und Gebräuchen gemeinschaftlich zusammen essen können."[51] Dies war möglich, da die Soldaten damals im Frieden noch nicht gemeinsam verpflegt wurden, sondern lediglich eine bestimmte Brotration (täglich 900 Gramm) erhielten und sich sonst selbständig verpflegen mußten. Die ersten Schwierigkeiten gab es schon 1789, als Juden freiwillig zur Infanterie einrücken konnten. Dort war eine Zusammenfassung der zunächst wenigen Juden zu Kameradschaften nur in Ausnahmefällen möglich.[52] Im 19. Jahrhundert schließlich wurde es immer mehr üblich, die Verpflegung auf Kompanie-, dann auf Bataillonsebene zu beschaffen und zuzubreiten. Die jüdischen Soldaten mußten an der Gemeinschaftsküche teilnehmen, obwohl zumindest theoretisch die religiösen Gebräuche der Soldaten respektiert werden sollten.[53]

Juden durften zwar an jüdischen Feiertagen selbst ihr Essen kaufen und erhielten dafür das Kostgeld vergütet, nicht aber während der Woche. Üblicherweise scheinen orthodoxe Juden auf die Teilnahme an der Menage verzichtet zu haben und wurden dafür privat von Juden aus der Umgebung der betreffenden Kasernen versorgt.[54] Das war natürlich alles andere als ideal. Aus wirtschaftlichen und praktischen Gründen war es aber unmöglich, für jüdische Soldaten getrennt zu kochen. Außerdem hatten die Militärbehörden ihre Zweifel, was den Nährwert koscheren Essens betraf. Als die jüdische Gemeinde von Lemberg 1874 die Ausgabe koscheren Essens an jüdische Soldaten beantragte, erklärte der Kommandant des Reservekontingents des Infanterie-Regiments Nr. 58 in Stanislau, daß koscheres Essen kein Fleisch enthalte - eine interessante Aussage über die Ernährungsgewohnheiten in Galizien. Eine entsprechend große Menge Fleisch (in der Armee üblicherweise Rindfleisch) aber galt als wesentlicher Bestandteil einer guten Soldatenkost.[55] David Neumann, der als Unteroffizier am Ersten Weltkrieg teilnahm, lebte ein Jahr lang von Marmelade und Käse aus Heereskonserven, bevor er sich schließlich gezwungen sah, nicht-koscheres Fleisch zu essen, um zu überleben. Selbst heute wird außer in Israel nur in den Südafrikanischen Streitkräften auf die religiösen Vorschriften jüdischer Soldaten voll Rücksicht genommen.

An dieser Stelle sollte erwähnt werden, daß der Hofkriegsrat 1788 vorgeschlagen hatte, jüdische Soldaten in eigenen Kompanien zusammenzuziehen, wo es dann möglich wäre, auf ihre religiösen Bedürfnisse Rücksicht zu nehmen.[56] Dies war aber von der Hofkanzlei abgelehnt worden: Die Juden noch in ihren Gebräuchen zu bestärken, war keineswegs ein Anliegen der Reformer um Josef II. Orthodoxe jüdische Rekruten mußten daher nur zu oft dem Rat des Prager Rabbiners Ezechiel Landau folgen, der den ersten jüdischen Soldaten empfohlen hatte, so lange von Käse und Butter zu leben, bis sie von jüdischen Familien koschere Speisen kaufen konnten.[57] Das war vielleicht in Galizien und in Böhmen möglich, nicht aber in jenen Ländern, in denen keine oder nur wenige Juden lebten.

Andere Religionsgesetze

Aus den jüdischen Religionsgesetzen entstanden weitere Schwierigkeiten. So mußten 1788 neue Uniformen für jüdische Soldaten aus Galizien gemacht werden, da sie sich weigerten, Kleider anzuziehen, die mit Flachs genäht und gefüttert waren. Der Flachs mußte erst durch Hanf ersetzt werden, wie das Kreisamt Striy in Galizien im September 1788 feststellte: „... bemerket die dabei sich ergebenen Schwierigkeiten in Ansehen der Religions-Freiheit, dann daß die Montirung mit Flachs zusammengenähet und mit derlei Zeug gefüttert sind, die vermög ihres bestehenden Religionsgesetzes umgeändert und mit Hanf zusammen genähet werden müsse." Dies bezog sich auf das alttestamentarishe Verbot, Wolle und Leinen zu mischen. Im Traktat Kilaim der Mischna heißt es dazu: „Du sollst nicht ... anziehen eine Sache, die [aus verschiedenen, getrennt hergestellten Materialen] gehechelt, gesponnen und zusammengezwirnt ist. Den Rand des Gewebes von Flachs darf man nicht aus Wolle machen, weil die Fäden wieder in das Gewebe eingreifen."[58]

In den vorliegenden Quellen wird nur selten auf jüdische Haar- oder Barttracht Bezug genommen. Bis zur zweiten Hälfte des 18. Jahrhunderts war den Juden vorgeschrieben gewesen, Vollbärte zu tragen. Vor allem in Galizien blieb dies auch noch üblich, als die entsprechenden diskriminierenden Vorschriften abgeschafft worden waren. Die Juden unterschieden sich somit erheblich von den Soldaten: In der Armee trugen Mannschaften und Unteroffiziere Schnurrbärte, während Offiziere glatt rasiert waren. Wie es der deutsche Philosoph Schopenhauer formuliert hatte, galt es als höchst unmoralisch, Geschlechtsmerkmale im Gesicht zu tragen. Erst in den Napoleonischen Kriegen gingen auch Offiziere dazu über, Schnurrbärte zu tragen. 1805 wurde dann endlich der in der Zivilmode längst überholte Zopf abgeschafft. Nach 1815 galt es gelegentlich wieder als modern, glatt rasiert zu sein. Nach 1848 schließlich wurde für Offiziere und Mannschaften gleichermaßen das Tragen von Oberlippenbärten vorgeschrieben (zunächst sogar von schwarzen Schnurrbärten, ohne Rücksicht auf die Haarfarbe der Soldaten hier mußte gelegentlich mit Schuhwichs nachgeholfen werden). Vollbärte waren erlaubt, solange sie nicht die Rangabzeichen am Kragen verdeckten, wurden aber nicht gerne gesehen.[59] Es gibt keinen Hinweis, daß für Juden Ausnahmen von diesen Vorschriften galten, obwohl sich Karikaturisten aus der Anfangszeit des jüdischen Militärdienstes über die Vorstellung vollbärtiger Soldaten lustig gemacht hatten. Das Gegenteil dürfte der Fall gewesen sein. 1805 hatte der Hofkriegsrat ausdrücklich angeordnet, daß jüdische Soldaten im Urlaub weder jüdische Kleider noch jüdische Haar- und Barttracht tragen dürften, um die Gefahr der Desertion zu verringern.[60] Im Roman ,,Moschko von Parma" erwähnte Karl Emil Franzos, daß den jüdischen Rekruten ihre charakteristischen ,,Wangenlöckchen" bei der Assentierung abgeschnitten wurden, offenbar als Symbol für ihren neuen Stand.

Viele Offiziere standen den religiösen Problemen ihrer jüdischen Soldaten mit Mißtrauen gegenüber und erblickten darin in erster Linie Versuche, sich vom Dienst zu drücken. Es hing im Einzelfall sehr viel von der Bildung und dem Charakter des jeweiligen Offiziers ab, ob einem jüdischen Soldaten allzu schlimme Probleme und Gewissensbisse erspart blieben - oder Demütigungen durch andersgläubige Kameraden. Während der einfache Soldat in Altösterreich wenig von der ,,Gemütlichkeit" erlebte, die oft als ,,typisch österreichisch" gilt, muß man doch betonen, daß die Bedingungen in verschiedenen Regimentern unterschiedlich waren. Ebenso waren Demütigungen durch übelgesinnte ,,Kameraden" keineswegs auf jüdische Soldaten beschränkt.[61]

Das wohlerzogen-naive und damit ,,unsoldatische" Verhalten mancher jüdischer Soldaten wurde in zahlreichen, teils boshaften, teils gutmütigen Anekdoten verewigt. Angesichts ihres wenig soldatischen Rufes durften jüdische Soldaten einem gewissen Druck ausgesetzt gewesen sein, ,,ihren Mann zu stellen". Zahlreiche Juden verschwiegen daher besondere Qualifikationen (wie etwa Fremdsprachenkenntnisse), um nicht durch die Versetzung auf eine angenehmere Kanzleistelle als ,,typisch jüdische Drückeberger" zu gelten. Üblicherweise hatte ein jüdischer Rekrut aus dem Westen wohl weniger Schwierigkeiten, sich in der Armee zu behaupten, als sein orthodoxer Glaubensgenosse aus dem Osten. Für diesen war die Religionsfrage lediglich Teil des ,,Kulturschocks", den er erlebte, wenn er aus seiner Heimat, die Karl Emil Franzos verächtlich als ,,Halb-Asien" bezeichnet hatte, in eine ,,moderne" Armee des 19. Jahrhunderts versetzt wurde. Auch diese Erfahrung betraf freilich keineswegs nur jüdische Rekruten, sondern alle Soldaten aus den weniger entwickelten Ländern der Monarchie.

JUDEN IM MILITÄR, 1788 bis 1866

Die Napoleonischen Kriege, 1792 bis 1815

Das Zeitalter der Napoleonischen Kriege brachte nicht nur die (Wieder-)Einführung der Wehrpflicht für Juden ohne die Möglichkeit der ,,Reluierung"; der jüdische Militärdienst wurde auf alle Waffengattungen ausgeweitet.[62] Insgesamt dürften im Zeitraum von 1793 bis 1815 nicht weniger als 36 200 Juden im kaiserlichen Heer gedient haben. Davon kamen 35 000 aus den österreichischen Ländern, vor allem aus Böhmen, und nur 1 200 aus Ungarn, wo die jüdische Wehrpflicht erst spät und mit Ausnahmen wiedereingeführt worden war. Die Aushebung jüdischer Rekruten richtete sich nach dem Anteil der Juden an der männlichen Bevölkerung. 1803 beispielsweise wurde ein Bedarf der Armee von 24 944 Rekruten festgestellt (15 Prozent des Gesamtstandes). Von diesen sollten 981 ½ [sic!] Juden sein, die nach folgendem Schlüssel von den Provinzen gestellt werden mußten: Böhmen 225, Mähren und Schlesien 157, Wien 6 ½, Görz und Gradiska 3, Galizien 590.[63] Das allgemeine Mißtrauen gegenüber jüdischen Soldaten war nur schwer zu überwinden. Beurlaubte jüdische Soldaten durften, wie schon erwähnt, keine jüdische Tracht tragen und sollten möglichst überhaupt nicht in ihre Heimat reisen, um die Möglichkeit des Desertierens gering zu halten.[64] Noch 1818 schlug der Hofkriegsrat vor, jüdische Soldaten ,,wegen der mindern Angemessenheit der Juden für die Artillerie, Kavallerie etc." außer zum Fuhrwesen möglichst nur zur Infanterie einzuteilen.[65] Während des ganzen 19. Jahrhunderts blieb die Zahl der Juden in der Kavallerie und der Jägertruppe gering, während sie im Fuhrwesen, im Sanitätsdienst sowie in der Verwaltung vergleichsweise zahlreich vertreten waren. Die Unsicherheit des Militärs den jüdischen Soldaten gegenüber zeigte sich auch in der Frage, wie ,,abgelebte Soldaten jüdischer Religion" bestattet werden sollten. Üblicherweise sollte der Leichnam ,,in einem Sarge unter militärischer Begleitung" der örtlichen jüdischen Gemeinde übergeben werden. Wo dies nicht möglich und auch keine jüdische Grabstätte in der Nähe vorhanden war, sollte, wie der Hofkriegsrat 1797 bestimmte, ,,der tote Körper durch das Militär selbst ... einzeln im Freyen in eine tiefe Grube in der Stille versenket und besonders gut eingescharret werden." In Militärspitälern war erkrankten jüdischen Soldaten der Besuch durch einen Rabbiner zu bewilligen. 1801 wurde der jüdischen Gemeinde von Triest als besondere Anerkennung ihrer ,,Anhänglichkeit" bewilligt, bis zu zwölf kranke jüdische Soldaten ,,in ihr Spital aufnehmen zu dürfen". Die Triestiner Juden mußten sich dafür verpflichten, ,,für alle Ausreißer das allerhöchste Ärarium zu entschädigen und Reconvalescenten wieder ordentlich zurückzustellen."[66]

Um die Lasten der bäuerlichen christlichen Bevölkerung zu verringern, wurde 1806 in Galizien ein eigenes ,,jüdisches Fuhrwerk" für militärische Transporte aufgestellt. Die Bauern hatten bis dahin stets darunter gelitten, daß ihr Vieh für militärische Vorspanndienste herangezogen wurde. Um das zu vermeiden, sollte ,,zum Behuf der Aushilf-Körner-Transporte" eine eigene Transportorganisation aus jüdischen Fuhrleuten unter militärischer Aufsicht geschaffen werden. Aus den vorhandenen Unterlagen gehen allerdings keine Einzelheiten hervor; ebenso ist unbekannt, wie lange diese Einrichtung bestand.[67]

In diesen ersten Jahren des 19. Jahrhunderts fanden beachtliche gesellschaftliche Veränderungen statt. Die patriotische Begeisterung der ,,Befreiungskriege" gegen Napoleon führte zu einem neuen Bewußtsein nationaler Einheit, das auch viele Juden teilten, vor allem jene aus den westlichen Ländern. In seinen patriotischen Lehrbüchern ,,Imre schepher" (,,Liebliche Worte"; 1802) und ,,Bne-Zion - ein religiös moralisches Lehrbuch für die Jugend israelitischer Nation" (Wien 1812) betonte Herz Homberg (1749-1841) daher die Notwendigkeit, daß die jüdische Jugend ihrer Verpflichtung zum Wehrdienst nachkomme. Jüdische Soldaten gehörten im österreichischen Heer bald zur Alltäglichkeit. 1815 wurde das Eheverbot für jüdische Soldaten aufgehoben. Bis dahin hatten Juden nur in Ausnahmefällen die Heiratserlaubnis erhalten. 1799 war bestimmt worden, ,,daß von den gestellt werdenden verehelichten Juden die Weiber in ihre Heimath zur Selbsternährung verwiesen, den Juden hingegen, welche ledigen Stands ad Militare kommen, zu heurathen durchaus nicht gestattet werde." 1815 wurden die Juden ihren christlichen Kameraden auch in dieser Beziehung gleichgestellt.[68] 1811 wurde dem Rabbiner Moises Landau aus Zmigrod in Galizien die Mittlere Goldene Zivile Ehrenmedaille für seine Verdienste verliehen. Landau hatte für jüdische Rekruten aus Galizien gesorgt und war dafür von polnischen Aufständischen mißhandelt worden.[69] Zur selben Zeit brachten die Reformen des Generalissimus Erzherzog Carl viele Änderungen für die kaiserlichen Soldaten. Die wichtigste Neuerung war die Abschaffung der lebenslänglichen Dienstzeit; sie wurde 1802 durch eine je nach Waffengattung unterschiedliche Dienstzeit von zehn bis vierzehn Jahren ersetzt. Für Ungarn, Lombardo-Venetien und für Tirol galten Sonderbestimmungen. 1845 wurde dann, das sei hier vorausgeschickt, die Dienstzeit einheitlich mit acht Jahren festgelegt; 1858 wurde sie auf sieben Jahre herabgesetzt.[70]

Während der Napoleonischen Kriege wurden die ersten jüdischen Offiziere ernannt. Die Frage, ob Juden Offiziere werden und ob christliche Soldaten unter jüdischen Vorgesetzten dienen könnten, war schon anläßlich der Einführung der jüdischen Wehrpflicht erörtert, damals aber verneint worden. Daher wurde 1789 das Ansuchen des Prager Juden Moyses Zier abgelehnt, Offizier zu werden. Zier hatte zuvor in (wohl britisch-) ost-indischen Diensten gestanden, zuletzt als Fähnrich. 1795 und 1799 wurden Gesuche jüdischer Ärzte um Anstellung als Militärärzte abschlägigen beschieden, obwohl 1799 ausdrücklich festgehalten wurde, daß die Religion des Antragstellers nicht als Begründung für die Ablehnung angegeben werden sollte.[71] Als aber 1815 ein jüdischer Lehrer aus Prag anfragte, ob seine Schüler Offiziere werden könnten, erklärte der Hofkriegsrat: „Es unterliege keinem Anstande, daß hoffnungsvolle junge Leute Israelitischer Nazion ... als Kadetten oder als ex-propriis Gemeine bei den Regimentern assentirt werden können, wo sodann ihre Vorrückung zu Officiers-Chargen einzig nur von ihrer Verwendung und Brauchbarkeit abhängig werde, da nach den humanen Grundsätzen der österreichischen Regierung die Religion hier keinen Unterschied mache, und bereits mehrere Individuen Israelitischer Nazion als Officiere und Stabsofficiere in der k. k. Armee dienen."[72] Es war bisher nicht möglich, den ersten österreichischen Offizier jüdischer Religion festzustellen. Mehrere Namen werden in diesem Zusammenhang genannt; da aber die Personalakten in jenen Jahren keine Angaben über die Religion eines Soldaten enthielten, läßt sich in der Regel nicht ermitteln, ob die genannten Offiziere getauft waren oder nicht. Einer der ersten jüdischen Offiziere könnte Maximilian Arnstein (1787-1813) gewesen sein, der vor dem Krieg von 1805 in die kaiserliche Armee eintrat. 1805 wurde er von den Franzosen gefangengenommen. Nach seiner Rückkehr wurde er im Februar 1809 Fähnrich im Infanterie-Regiment Nr. 63. Am 26. Oktober 1809 wurde Arnstein zum Husaren-Regiment Nr. 9 versetzt und ein Jahr darauf zum Oberleutnant im Husaren-Regiment Nr. 4 ernannt. Er fiel bei Kolmar am 24. Dezember 1813 und wurde angeblich nach jüdischem Ritus bestattet.[73]

Die Zeit von 1815 bis 1866

Für den Zeitraum zwischen den Napoleonischen Kriegen und der Revolution von 1848 ist es schwierig, eine bestimmte Leitlinie hinsichtlich der Stellung der Juden im Heer festzustellen. Das ist nicht weiter überraschend, wenn man einerseits die politische Entwicklung zur Zeit des „Biedermeier", andererseits aber den Zustand der Armee bedenkt, die nach der langen Kriegszeit vernachlässigt wurde.[74] Gewisse diskriminierende Einstellungen bestanden weiter. Juden sollten möglichst nicht zur Artillerie und Kavallerie eingeteilt werden, und 1822 wurde das Ansuchen zweier jüdischer Korporale um Einteilung bei der Trabanten-Leibgarde abgelehnt, „da ... dieser Religionsunterschied im Korps selbst zu Nekereyen und unangenehmen Auftritten die Veranlassung geben könnte," obwohl die persönlichen Verdienste der beiden kriegsgedienten Korporäle gewürdigt wurden.[75] In anderen Bereichen trug die Emanzipation der Juden Früchte: Juden wurde gestattet, an der berühmten Wiener militärärztlichen Hochschule, dem „Josephinum", zu studieren.[76] Als das Infanterie-Regiment Nr. 60 im Jahre 1825 versuchte, einen jüdischen Militärarzt abzulehnen, wurde dem Regiment befohlen, ihn sofort anzunehmen, da „Individuen Israelitischer Religion, so wie nicht von der Zulassung zu den Akademischen Lehrkursen, so auch nicht von dem Eintritte in den Feldärztlichen Dienst ausgeschlossen werden können." Dem Regimentskommandanten wurde befohlen, den Vorurteilen entgegenzuwirken.[77] 1844 wurde Dr. Simon Hirsch Regimentsarzt des Ulanen-Regiments Nr. 4 - eine Stellung, die der eines Chefarztes eines zivilen Krankenhauses entsprach; diese aber war Juden damals noch verwehrt.[78]

Allerdings gehört Logik selten zu den Stärken der Bürokratie. 1838 mußte dies ein jüdischer Oberleutnant namens Moyses Almoslino erfahren, der in Semlin in der Slawonischen Militärgrenze bei Belgrad lebte. Als Almoslino zur Beförderung zum Hauptmann in der Landwehr (der territorialen Verteidigungsorganisation) heranstand, erhob der Hofkriegsrat Einspruch, obwohl Almoslinos Kameraden seine Ernennung befürworteten. Die Begründung dafür war bemerkenswert, wenn wir bedenken, daß es damals im regulären Heer bereits höhere jüdische Offiziere gab. Die Offiziere der Landwehr waren zum Teil Geehemalige Berufsoffiziere, vor allem aber Bürger des jeweiligen Geebietes. Bis zur Verfassung von 1867 durften sich Juden aber in einigen Gebieten nicht als Bürger im rechtlichen Sinn niederlassen, obwohl sie mit Ausnahmegenehmigungen dort leben konnten und üblicherweise von der Bevölkerung akzeptiert wurden. Das war auch bei Almoslino der Fall, der problemlos der Landwehr beitrat und Leutnant wurde. Erst als er zum Hauptmann befördert werden ersollte, fragten die örtlichen Behörden beim Hofkriegsrat an und erfuhren zu ihrer Überraschung, daß er nicht einmal Leutnant hätte werden dürfen, „ungeachtet seiner sonst guten Verwendung"![79]

In den Kriegen von 1848/49 dienten jüdische Soldaten sowohl im kaiserlichen Heer wie in der ungarischen Nationalarmee, der „Honvéd". Die Honvéd betrachtete ihren „Aufstand" als Widerstand gegen die österreichische zentralistische Herrschaft über Ungarn. Angesichts der politischen Interessenslage kam es in Ungarn zu einem Zusammenwirken zwischen den ungarischen Liberalen und den reformistischen Juden, wobei letztere die nationalistischen Ziele der Ungarn unterstützten. Deshalb traten 1848 viele Juden der Honvéd bei oder unterstützten die ungarische Revolution auf andere Weise.[80] Dr. Joszef Rosenfeld (später magyarisiert zu Rozsay, geboren

1815) beispielsweise, ein jüdischer Arzt aus dem deutschsprachigen Westungarn, wurde Chefarzt in einem Militärspital der Honvéd. Lipot Popper, der später eine wichtige Rolle als Holzexporteur spielte (und unter anderem Holz für den Bau des Suezkanals lieferte), kämpfte 1849 als Oberleutnant der Honvéd. Angeblich betrug der Anteil der Juden in der Honvéd elf Prozent und war damit gut dreimal so groß wie der jüdische Anteil an der Gesamtbevölkerung.[81]

In Österreich traten viele Juden der revolutionären ,,demokratischen'' Nationalgarde bei, die gegen das kaiserliche Heer kämpfte. Werner Just's ,,Lied der National-Garde'' pries die liberalen Grundsätze der Nationalgarde:

> ,,Sei's Christ, ein Türke oder Jud',
> er tret' in uns're Reih'n,
> In allen fließt ja Menschenblut,
> Frei wollen Alle sein!''[82]

Die größere Zahl jüdischer Nationalgardisten förderte den Antisemitismus auf konservativer Seite. Es gab eine Reihe von Spottdarstellungen jüdischer Angehöriger der Nationalgarde, und manchmal kam es zu antijüdischen Ausschreitungen.[83]

Heinrich Oppenheimer (geboren 1829) hatte die Revolution von 1848 als Student der Technik erlebt und war der ,,Akademischen Legion'' beigetreten. Er wurde schließlich Hauptmann in der ,,Mobilgarde'', einer Formation der Nationalgarde. Nach der Niederschlagung der Revolution Ende 1848 mußte er flüchten und entschloß sich, der Armee beizutreten. Im Mai 1849 meldete er sich zum Infanterie-Regiment Nr. 2 und wurde noch im selben Jahr Leutnant. Als ihm sein vorgesetzter Offizier vorschlug, sich taufen zu lassen, lehnte Oppenheimer dies ab. Oppenheimer diente auch nach Kriegsende weiter; er nahm 1859 und 1866 an den Feldzügen in Italien und 1878 am Bosnischen Okkupationsfeldzug teil. Er trat 1878 als Major in den wohlverdienten Ruhestand.[84]

Carl Straß (1828/34-1887) rückte im Dezember 1848 zur Armee ein - wenn das Geburtsdatum in einigen seiner Personalunterlagen stimmt, im zarten Alter von 15 Jahren. Im April 1849 wurde er Leutnant im Dragoner-Regiment Nr. 2 und im Dezember 1849 Oberleutnant im Husaren-Regiment Nr. 2. Die Erklärung für seine eindrucksvolle Karriere lag in erster Linie darin, daß er nicht bei der Truppe diente, sondern in der Kanzlei des Feldmarschalls Alfred Fürst zu Windisch-Grätz, der offenbar seinem Schützling behilflich war. Nach der Abberufung des Generals verlangsamte sich allerdings Straß' Karriere. Er wurde 1854 Rittmeister (2. Klasse) und 1859 Rittmeister (1. Klasse), trat aber schon 1861 in den Ruhestand. 1866 wurde er ehrenhalber zum Major ernannt.[85]

Die Jahre nach der Revolution von 1848/49 brachten zunächst den Versuch des jungen Kaisers Franz Josephs I., eine „neoabsolutistische" Herrschaft einzurichten. Angesichts der zahlreichen Beteiligung von Juden an den Aufständen von 1848/49 war es kein Wunder, daß Juden als gefährliche Demokraten verdächtigt wurden und dementsprechend als unverläßlich galten. Diese Einstellung dürfte auch auf die Militärbehörden abgefärbt haben. 1850 wurde bestimmt, „daß Israeliten in die Auditoriats-Praxis nicht aufgenommen werden können ...., weil sich die Obliegenheiten eines solchen[Auditors] mit dem israelitischen Glaubensbekenntnisse nicht vollkommen vereinbaren laßen," wie die vorgegebene Begründung lautete. „Mit Rücksicht auf religiöse Gebräuche" waren Juden auch von den Militärakademien und -schulen ausgeschlossen.[85] Als 1853 verdienten Unteroffizieren die Möglichkeit eröffnet wurde, nach ihrem Militärdienst als Zivilbeamte unterzukommen, waren Juden von der Finanz- und Justizverwaltung ausgenommen, da sie als bestechlich galten. Aus demselben Grund fand es Erzherzog Albrecht 1865 „sehr bedenklich, daß [in den Militärspitälern] ... der Jude nicht nur die Lieferung der Lebensmittel, sondern auch die Bereitung derselben übernimmt. Zwar ist in dieser Beziehung bisher keine Klage vorgekommen, ... aber es scheint bedenklich, daß durch die Übernahme des Kochens der Jude samt seiner Familie inmitten des Spitals sitzt - und bei den bekannten Eigenschaften dieses Volksstammes und der in Galizien einheimischen Korruption ist mit Sicherheit vorauszusetzen, daß in wenig Jahren zahlreiche Fälle von Bestechung und Unmoralisation ... vorkommen werden."[87]

Ungeachtet dieser Probleme nahm die Zahl der jüdischen Soldaten zu. In den Kriegen von 1859 und 1866 wurde ihre Zahl auf 10 000 bis 20 000 Mann geschätzt, obwohl manche Zeitgenossen sogar von 30 000 sprachen. In Wien wurde 1866 ein eigenes ,,Hilfs-Comité für Soldaten israelitischer Religion" gebildet, das für bedürftige jüdische Soldaten und ihre Angehörigen sorgte. Am 19. Januar 1867 drückte das Reichskriegsministerium dem Hilfs-Comité ,,die dankende Anerkennung" für die erbrachten Leistungen aus.[88] Nach einer zeitgenössischen Angabe sollen 1859 bereits 157 jüdische Offiziere in der kaiserlichen Armee gedient haben, wobei diese Zahl vermutlich Beamte und Militärärzte einschloß.[89] 1866 sollen es bereits 200 jüdische Offiziere gewesen sein. Unter den 4 500 Freiwilligen aus Wien in diesem Krieg waren 168 Juden.[90]

Die Existenz jüdischer Offiziere war - obwohl bereits seit einem halben Jahrhundert feste Tatsache - offenbar immer noch nicht voll anerkannt. Der spätere General Alexander (später Ritter von) Eiss (1832-1921), der zunächst als Freiwilliger, dann Kadett und schließlich (1855) Leutnant in den italienischen Feldzügen focht, mußte angeblich nicht weniger als 34 Duelle ,,wegen Angriffen auf seine Religion" austragen. Während es für diese Behauptung keine Beweise gibt, enthalten seine Personalakten einen Hinweis auf einen interessanten Vorfall. 1861 wurde er, bereits als Oberleutnant, wegen ,,Nichtbefolgung des erhaltenen Befehls, die Mannschaft zur Beichte in die Kirche zu geleiten, und ungeziemender Antworten gegen seinen Kompagnie-Kommandanten ... zur Rede gestellt." Die Vermutung, daß sein Vorgesetzter mit Absicht ihn als Juden für diesen Kirchgang eingeteilt hatte, erscheint möglich.[91]

DIE ZEIT
DER ALLGEMEINEN WEHRPFLICHT: 1868 bis 1918

Nach den Niederlagen von 1859 und 1866 bei Solferino bzw. Königgrätz war eine umfassende Reform des habsburgischen Heerwesens dringlicher denn je. Dazu kam, daß im „Staatsgrundgesetz über die allgemeinen Rechte der Staatsbürger für die im Reichsrate vertretenen Königreiche und Länder" vom 21. Dezember 1867 endlich die vollständige Gleichberechtigung aller Staatsbürger ohne Unterschied der Religion festgelegt worden war. Das Wehrgesetz von 1868 trug diesen Umständen sowie der durch den „Ausgleich" von 1867 zwischen Österreich (der „cisleithanischen Reichshälfte") und Ungarn geänderten staatsrechtlichen Situation Rechnung. Österreich-Ungarn war nun eine Doppelmonarchie, deren Teile lediglich durch den Monarchen und einige gemeinsame Institutionen verbunden waren. Im militärischen Bereich waren dies das „gemeinsame" kaiserliche und königliche (= k. u. k.) Heer sowie die gemeinsame k. u. k. Kriegsmarine. Daneben gab es noch eine kaiserlich-königliche (= k.k., d. h. österreichische oder richtiger „cisleithanische") „Landwehr" und eine königlich-ungarische (= k. u.) „Honvéd". In der Theorie waren sowohl Landwehr wie Honvéd territoriale Verteidigungsformationen, die sich jedoch rasch zu vollwertigen Streitkräften entwickelten, obwohl Artillerie und technische Truppen vom gemeinsamen k. u. k. Heer beigestellt wurden.

Um die für eine moderne Kriegsführung notwendigen Massenheere aufstellen zu können, wurde 1869 die allgemeine Wehrpflicht eingeführt, die im Gegensatz zur bisherigen Konskription fast keine Ausnahmen kannte. Die Überlegenheit der Preußen im Krieg von 1866 war nicht zuletzt darauf zurückzuführen gewesen, daß in Preußen schon seit längerer Zeit die allgemeine Wehrpflicht bestand. Aus finanziellen Gründen wurde das Rekrutenkontingent in Österreich-Ungarn allerdings mit 95 000 Mann begrenzt, die übrigen Dienstfähigen erhielten keine oder nur eine kurze Ausbildung als „Ersatzreservisten". Die Dienstzeit betrug zwölf Jahre, von denen drei Jahre „präsent" im Heer abzudienen waren. Während der übrigen neun Jahre wurden die Wehrpflichtigen als Reservisten geführt (die letzten zwei Jahre im Stande der Landwehr bzw. Honvéd) und nur gelegentlich zu Übungen einberufen.[92]

Im Zuge der Einführung der allgemeinen Wehrpflicht stieg auch die Zahl der jüdischen Soldaten. Nach der Volkszählung von 1869 lebten in Cisleithanien („Österreich" bzw. den „österreichischen Ländern") 822 220 Juden und in Ungarn (einschließlich Siebenbürgen und Kroatien) 522 113. Zusammen machten die Juden damit rund vier Prozent der Gesamtbevölkerung der Donaumonarchie aus.[93] 1872, im ersten Jahr, für das genaue Zahlen verfügbar sind, dienten 12 471 jüdische Soldaten im k. u. k. Heer; das entsprach 1,5 Prozent.[94] In den folgenden Jahrzehnten stieg diese Zahl und erreichte 1902 mit 59 784 Mann bzw. 3,9 Prozent einen Höhepunkt. Sie kam damit auch dem Anteil der Juden an der Gesamtbevölkerung von etwas über 4,6 Prozent nahe. Bis 1911 war der Anteil jüdischer Soldaten aber auf rund drei Prozent zurückgegangen. Diese Entwicklung könnte einerseits auf eine geringe Abnahme der jüdischen Gesamtbevölkerung von 4,8 Prozent (1890) auf 4,6 Prozent (1910) zurückzuführen sein, anderseits auf den vergleichsweise hohen Anteil jüdischer Reserve-Offiziersanwärter, der sich ebenfalls auf die Statistik auswirken müßte. Die Zahlen, die hier für die Mannschaften angegeben sind, umfassen nämlich sowohl die gerade dienenden Wehrpflichtigen als auch Reservisten, Unteroffiziere ebenso wie Einjährig-Freiwillige (Reserve-Offiziersanwärter). 1911, dem einzigen Jahr mit entsprechenden Angaben, waren 2 048 der 46 064 jüdischen Mannschaftsdienstgrade (Reserve-) Offiziersanwärter.

Üblicherweise wurde der geringere Anteil jüdischer Soldaten mit Versuchen der galizischen Juden erklärt, durch Flucht oder Bestechung „die Stellungspflicht leichter umgehen zu können", wie es in einem Akt aus dem Jahre 1870 hieß.[95] Diese Vorwürfe waren nicht vollständig aus der Luft gegriffen und in den Akten des Kriegsministeriums fanden sich regelmäßig Klagen über derartige jüdische „Stellungsumtriebe". Karl Emil Franzos behauptete sogar, die galizischen Juden kämpften „gegen die Assent-Kommission wie die Rothäute gegen die Weißen". 1871 erschienen durchschnittlich 30,3 Prozent der jüdischen Stellungspflichtigen in Galizien (3 856 von

12 693) nicht vor den Stellungskommissionen. In einzelnen Bezirken war der Prozentsatz noch höher. Besonders schlimm dürfte es beim Infanterie-Regiment Nr. 80 gewesen sein, wo 64,5 Prozent der Stellungspflichtigen der Stellung fernblieben.[96] 1870 beschwerte sich Oberst Josef Heinold, der Kommandant des Infanterie-Regiments Nr. 80, daß die jüdischen wie auch die griechisch-orthodoxen Matriken (Geburtenbücher), die die Grundlagen der Stellungslisten bildeten, sehr zweifelhaft wären und daß überdies ,,die sogenannten Cyruliks (Bader [= Ärzte minderer Qualifikation]) mit künstlicher Erzeugung von Gebrechen und Verschlimmerung und Vergrößerung bestehender Schäden sich gewerbsmäßig befassen." Damit nicht genug, veranstalteten ,,die jüdischen Gemeinden für Bestechungen der Civil- und Militär-Mitglieder der Stellungs-Commission Geldsammlungen", während die Zivilbehörden diesem Treiben zusahen, ohne einzugreifen.[97] Zum letzten Punkt ist festzustellen, daß die traditionell niedrigen Bezüge österreichischer Beamten und Offiziere leicht zur Bestechung verleiten konnten. Freilich läßt sich schwer abschätzen, wie sehr diese Klagen damals noch berechtigt waren bzw. wie weit hier Klischeevorstellungen mitspielten. Es wäre falsch, das Problem auf diese ,,Stellungsumtriebe" zu beschränken oder diese gar als ,,typisch jüdisch" abzutun. Es handelte sich dabei mehr um ein galizisches denn um ein jüdisches Problem. Die Stellungsflucht war in den ersten Jahren der jüdischen Wehrpflicht eine ernstzunehmende Tatsache gewesen, hatte aber seither an Bedeutung verloren.[98] Seit Einführung der allgemeinen Wehrpflicht mit dem Wehrgesetz von 1868 und dank der gleichzeitigen Herabsetzung der Präsenzdienstzeit auf drei Jahre wurden die ,,Stellungsumtriebe" weniger. Von 1868 bis 1870 beispielsweise stieg die Zahl der jüdischen Rekruten aus Galizien von 198 auf 805 Mann.[99]

Die geringfügige Unterrepräsentierung der Juden unter den Soldaten der k. u. k. Armee dürfte andere Gründe haben, die vor allem auf das sozio-kulturelle Umfeld in jenen Provinzen zurückzuführen sind, in denen die meisten Juden lebten. Ein jüdischer Autor sprach in diesem Zusammenhang vom ,,tiefen kulturellen und körperlich defekten Zustand der galizischen Juden", die großteils aus ärmlichen städtischen Wohnverhältnissen kamen. Der orthodoxe und tief religiöse

Hintergrund der „Ostjuden" dürfte die jungen Juden aus Galizien kaum besonders auf das Militär vorbereitet haben, während die jüdischen Gemeinden in Galizien dem Wehrdienst mißtrauten. Angesichts der oft entsetzlichen Lebensbedingungen war ein hoher Prozentsatz der galizischen Juden selbst ohne Bestechung untauglich.[100] In diesem Zusammenhang ist eine statistische Aufstellung aus dem Jahre 1910 von Interesse, wonach in Niederösterreich, Böhmen, Mähren und Schlesien zwischen 0,5 und 0,8 Prozent der jüdischen Bevölkerung im Heer dienten, während der entsprechende Anteil in Galizien und der Bukowina nur halb so groß war (0,4 bzw. 0,3 Prozent).[101] Dabei ist zu bedenken, daß dies gerade jene Provinzen waren, in denen die Masse der Juden (74 Prozent der cisleithanischen Juden bzw. 43 Prozent der Juden aus der gesamten Monarchie einschließlich Ungarns) lebten.

In ähnlicher Weise müssen auch die Zahlen für die Matrosen jüdischer Religion bewertet werden. Auf den ersten Blick erscheint der Prozentsatz von 0,9 Prozent im Jahre 1885, der bis 1898 auf 1,6 und 1911 auf 1,7 Prozent stieg, sehr gering. Hier ist aber festzustellen, daß die jüdische Bevölkerung in Kroatien und dem Küstenland, jenen Provinzen, aus denen die meisten Matrosen kamen, noch geringer war und nie einen Anteil von 0,8 Prozent überstieg.[102] Aber anscheinend waren die Juden dieser Länder eher diensttauglich (und möglicherweise auch williger) als ihre Glaubensbrüder im Osten.

Die Verteilung der jüdischen Soldaten nach Waffengattungen

Ein Vergleich der Waffengattungen zeigt, daß jüdische Soldaten im Sanitäts- und im Verwaltungsdienst überdurchschnittlich vertreten waren, während ihre Zahl in der Kavallerie und der Jägertruppe gering war. Im letzteren Fall war dies vermutlich darauf zurückzuführen, daß in jenen Ländern, aus denen die Mehrzahl der Rekruten für die Jägertruppe kam (so etwa Tirol und Steiermark), nur sehr wenige Juden lebten. Die Kavallerie bevorzugte hingegen Rekruten aus der Landwirtschaft bzw. mit Reiterfahrung, obwohl das Weiterwirken alter Vorurteile keineswegs ausgeschlossen werden kann. Der Anteil der Juden in der Infanterie lag hingegen über dem Durchschnitt. Die Legende, daß alle Juden beim „Train", wie das Fuhrween nunmehr hieß, dienten, wird durch die Fakten widerlegt. Die Tendenz, Juden bevorzugt zu Verwaltungs- und Versorgungsposten einzuteilen, könnte auch darauf zurückzuführen sein, daß es dort leichter war, auf religiöse Vorschriften zu achten, als in der kämpfenden Truppe. Dazu kam, daß Juden durch bessere Kenntnisse der deutschen Sprache (der „Dienstsprache" in der gemeinsamen Armee) für Verwaltungsaufgaben geeignet erschienen.[103] Jüdische Unteroffiziere wurden angeblich wegen ihrer Sprachbegabung besonders geschätzt und es mag kein Zufall sein, daß 1886 unter 38 Schülern der Unteroffiziers-Bildungsschule des 5. Korps-Artillerie-Regiments in Komorn nicht weniger als 26 Juden waren. Als der Artillerieinspektor, Feldzeugmeister Erzherzog Wilhelm, dies seltsam fand, erklärten die zuständigen Offiziere, daß die Juden nicht nur der deutschen Sprache kundig wären, sondern eben auch „zu den Bildungsfähigeren" zählten.[104]

Im großen und ganzen waren jüdische Soldaten in Österreich-Ungarn wohl weniger antisemitischen Vorurteilen und Diskriminierungen ausgesetzt als in anderen Armeen oder im Zivilleben. Natürlich gab es Ausnahmen: In den Jahren 1893, 1903, 1904 und 1909 mußte sich das Kriegsministerium mit Beschwerden jüdischer Soldaten befassen; die „Dunkelziffer" war sicherlich höher.[105] Dennoch konnte das Ministerium 1906 guten Gewissens behaupten, „daß nach den in der Monarchie geltenden Gesetzen betreffs des Eintrittes von Israeliten in das k. u. k. Heer, sei es als Mannschaft, sei es als Offiziere, keinerlei Beschränkungen bestehen."[106] Moritz Frühling, ein jüdischer Schriftsteller, stellte 1910 fest, daß „es zur Ehre der österreichischen Kriegsverwaltung betont werden möge, daß unter allen staatlichen Ressorts unserer Doppelmonarchie sie die einzige ist, die von echt modernem und liberalstem Geiste den jüdischen Mitbürgern gegenüber geleitet ist. Die Juden Österreich-Ungarns werden dem Geiste dieser ritterlichsten, kristallreinen Kriegsverwaltung auch immer Treue um Treue entgegenbringen." Kaiser Franz Joseph I. selbst hatte schon in den achtziger Jahren erklärt, die antisemitische Bewegung sei ihm „recht unsympathisch, und jetzt, nachdem die jüdischen Soldaten in den Jahren 1878 und 1882 so vieles Respektable geleistet, sogar peinlich... Dienen doch in meiner Armee mehr als 30 000 jüdische Soldaten! So mancher europäische Kleinstaat wäre stolz darauf, wenn er eine so starke Armee aufbringen könnte."[107]

Dieses Lob für die Militärbehörden erscheint besonders interessant, wenn man die zumindest zurückhaltende Haltung bedenkt, die der Hofkriegsrat in den ersten Jahren jüdischen Soldaten gegenüber an den Tag gelegt hatte. Tatsächlich fand hier eine bemerkenswerte Entwicklung statt: Gegenüber dem Reformeifer der Hofkanzlei war der Hofkriegsrat betont zurückhaltend gewesen, teils aus Vorurteilen, teils aus berechtigten Bedenken. In der ersten Hälfte des neunzehnten Jahrhunderts wurde die Einstellung den Juden gegenüber dann immer offener, bis es schließlich nach 1867 zu einem „Umkippen" kam und die Militärbehörden den Juden gegenüber sogar eine wohlwollendere Haltung einnahmen als die zivile Verwaltung. Diese Einstellung hielt im großen bis zum Ersten Weltkrieg an.

JÜDISCHE OFFIZIERE

Für die Zeit nach 1867 ist zwischen Berufs- und Reserveoffizieren zu unterscheiden.

1897, im ersten Jahr, für das genaue Zahlen verfügbar sind, dienten 178 Berufsoffiziere jüdischer Religion im k. u. k. Heer; das entsprach einem Anteil von 1,2 Prozent aller Offiziere.[108] Diese Zahl war in den Jahren vor 1897, der Phase der weitestgehenden jüdischen Assimilierung in die Gesellschaft, wahrscheinlich noch höher, und könnte sogar um die zwei Prozent betragen haben. Darauf deuten auch die Zahlen der Jahre 1894 bis 1897 hin, die zwar noch nicht zwischen Berufs- und Reserveoffizieren unterschieden, aber dieselbe fallende Tendenz aufwiesen wie nach 1897. Fünfzehn Jahre später, 1911 (dem letzten Jahr, aus dem Zahlen zur Verfügung stehen), war die Zahl der jüdischen Berufsoffiziere von 178 auf 109 gesunken; während der prozentuelle Anteil noch stärker, nämlich auf 0,6 Prozent oder die Hälfte der Zahl von 1897 geschrumpft war.

Es wird oft behauptet, daß alle jüdischen Offiziere beim Train gedient hätten. Tatsächlich dienten aber 80 Prozent aller jüdischen Offiziere bei Kampfeinheiten; 65 bis 70 Prozent in der Infanterie. Jüdische Offiziere waren in den meisten anderen Waffengattungen annähernd entsprechend vertreten - mit zwei Ausnahmen. Im Eisenbahn- und Telegraphen-Regiment gab es keinen einzigen jüdischen Berufsoffizier. Das war vielleicht durch die geringe Zahl der Offiziere dieses Regiments begründet: lediglich 148 Offiziere im Jahre 1911. Die zweite Ausnahme betraf die Kavallerie, wo nur sehr wenige jüdische Offiziere dienten. Zwischen 1900 und 1903 war es überhaupt nur ein einziger, der damit einen Anteil von 0,05 Prozent darstellte. Dies war teilweise wohl auf das Weiterwirken alter Vorurteile, viel mehr aber auf den stark „adeligen" Charakter dieser Waffengattung zurückzuführen, die sich als ausgesprochene Elite verstand. Während insgesamt nur 22 Prozent aller Offiziere Adelige waren, betrug der Prozentsatz in der Kavallerie (1896) 58 Prozent und erreichte in einzelnen Regimentern bis zu 75 Prozent (zum Vergleich: Infanterie 14 Prozent, Jäger 24 Prozent, Artillerie 16 Prozent).

Bürgerliche hatten es schwerer, in die Kavallerie vorzudringen - und das galt auch für die großteils bürgerlichen Juden.[109] Neben der Kavallerie galt die Jägertruppe als Elite.[110]

Juden durften seit 1867 alle Kadettenschulen und Akademien besuchen - in seiner Autobiographie erinnerte sich beispielsweise Wenzel Ruzicka, der 1896 bis 1900 eine Kadettenschule besuchte, daß sich unter den etwa 40 Zöglingen zwei Juden befanden.[111] Soweit eine Durchsicht einzelner Personalakten dies erkennen läßt, wurden jüdische Offiziere nicht anders beurteilt als ihre christlichen Kameraden.

Generalität und Generalstabsdienst

Einige jüdische Offiziere besuchten die ,,Kriegsschule" in Wien, an der die Offiziere für den Generalstabsdienst ausgebildet wurden. Allerdings ließ sich bislang kein Generalstabsoffizier jüdischer Religion nachweisen. Eduard Ritter von Schweitzer (1844-1920), der sich in den Feldzügen von 1866 und 1878 ausgezeichnet hatte, besuchte von 1879 bis 1881 die Kriegsschule. Obwohl er als siebzehnter unter 44 Kandidaten gereiht und alle anderen bis Nummer 25 übernommen wurden (und fünf andere außerdem), wurde Schweitzer nicht in den Generalstabsdienst übernommen.[112] Die Vermutung, daß der Generalstab möglichen Spannungen in einer Zeit zunehmenden Antisemitismus aus den Wege gehen wollte, ist naheliegend, aber nicht beweisbar.[113] Es gab keine Bestimmung, die Juden vom Generalstabsdienst ausschloß; einige getaufte Offiziere jüdischer Herkunft dienten erfolgreich im Generalstab. Schweitzer selbst, 1878 in den Ritterstand erhoben, wurde 1904 Generalmajor und Kommandant der 53. Infanterie-Brigade. Anläßlich seiner Versetzung in den Ruhestand 1908 wurde er - als erster jüdischer Offizier - zum Feldmarschalleutnant ernannt.[114]

Das Beispiel Schweitzers führt zur Frage nach jüdischen Generalen. Soweit nach sorgfältiger Überprüfung der Quellen feststellbar, dürfte neben Schweitzer nur ein einziger jüdischer Offizier vor dem Ersten Weltkrieg im k. u. k. Heer Generalmajor geworden sein, nämlich Heinrich Ulrich Edler von Trenckheim (1847-1914). Ulrich wurde

1866 Offizier und focht, wie Schweitzer, in den Feldzügen von 1866 und 1878. Seit 1896 im Ritterstand, befehligte er von 1905 bis zu seiner Versetzung in den Ruhestand 1909 die 69. Infanterie-Brigade. Ulrich wurde 1906 zum Generalmajor ernannt. Er verfaßte u.a. die Geschichte des Infanterie-Regiments Nr. 72 (1904) und ein Ausbildungshandbuch für Unteroffiziere in kroatischer Sprache.[115]

Drei weitere jüdische Offiziere erreichten im Laufe des Ersten Weltkrieges den Rang eines Generalmajors. Carl Schwarz (1859-1929) hatte eine Kadettenschule besucht und war 1878 zum Leutnant ernannt worden. Zehn Jahre später wurde er zur k. k. Landwehr transferiert. 1908 wurde er Oberst und Kommandant des Landwehr-Infanterie-Regiments Nr. 16 in Krakau. Er trat 1911 in den Ruhestand, wurde aber 1914 reaktiviert und im folgenden Jahr zum Generalmajor befördert.[116]

Dr. Leopold Austerlitz, 1858 in Prag geboren, begann seine militärische Laufbahn 1877 als Einjährig-Freiwilliger. Nach Abschluß seiner Studien (Mathematik und Physik) an der Universität Prag (1885) absolvierte Dr. Austerlitz 1889 die Ergänzungsprüfungen, um von der Reserveoffiziers- zur Berufsoffizierslaufbahn wechseln zu können. Zunächst unterrichtete er als Lehrer an verschiedenen Militärschulen, bevor er 1900 - bereits ein anerkannter Wissenschaftler - zum Artilleriestab versetzt wurde. Als Oberst wurde er 1913 Sektionschef im angesehenen Technischen Militär-Komitee der Artillerie. Ende 1914 befehligte Oberst Dr. Austerlitz den Einsatz der schweren Mörser bei Belgrad, wofür er 1915 zum Generalmajor befördert wurde. Für seine Verdienste wurde ihm 1915 das Offizierskreuz des Franz Josephs-Ordens und 1918 das Ritterkreuz des Leopolds-Ordens verliehen.[117]

Maximilian Maendl von Bughardt (1850-1929) war ein erfolgreicher Infanterieoffizier, der seine Laufbahn 1878 beim Tiroler Kaiserjäger-Regiment Nr. 1 begonnen hatte. Ab Sommer 1914 führte er das Landsturm-Infanterie-Regiment Nr. 11 in Galizien. 1916 wurde Oberst Maendl das Kommando über die 21. Landsturm-Infanterie-Brigade (später 21. Gebirgs-Brigade) übertragen. In Anerkennung seiner Tapferkeit bei der Verteidigung des Görzer Brückenkopfes wurde er 1916 geadelt und 1917 zum Generalmajor befördert.[118]

Von diesen Offizieren abgesehen, die Generalsrang erreichten, gab es weitere Beispiele jüdischer Offiziere, die tapfer und treu in der k. u. k. Armee dienten. Oberst Adolf Beer (1834-1888) war ein Artillerist, der in verschiedenen Verwendungen diente. 1887 wurde er zum Kommandanten des Corps-Artillerie-Regiments Nr. 13 in Laibach ernannt, starb aber schon im folgenden Jahr an Lungenentzündung.[119]

Alexander Ritter von Eiss (1832-1921) zeichnete sich in den italienischen Feldzügen von 1848/49, 1859 und 1866 aus. 1866 wurde ihm der Orden der Eisernen Krone (3. Klasse) verliehen. 1884 wurde er als Major in den Ritterstand erhoben. 1890 wurde er Oberst und Kommandant des Landwehr-Infanterie-Regiments Nr. 14. 1895 erhielt er das Ritterkreuz des Leopolds-Ordens, doch mußte er schon 1896 aus Gesundheitsgründen in den Ruhestand treten, da er fast blind war. Ob die Anekdote wahr ist, wonach ihm der Maria-Theresien-Orden sowie später die Ernennung zum General für seine Taufe angeboten worden wäre, läßt sich nicht bestätigen. Die vorhandenen Quellen sprechen eher dagegen. 1907 wurde ihm der Titel eines Generalmajors verliehen. Die drei Söhne des Generals zeichneten sich im Ersten Weltkrieg aus: Leutnant Otto und Hauptmann Hermann von Eiss fielen; Oberleutnant Karl von Eiss überlebte den Krieg trotz seiner Verwundungen und war einer der wenigen Offiziere, die sowohl die Goldene Tapferkeitsmedaille für Mannschaften als auch jene für Offiziere tragen durften.[120]

Wie Eiss war auch Simon Vogel (1850-1917) ein hochdekorierter Offizier. Er war Oberst und Kommandant des Infanterie-Regiments Nr. 38., dann des Infanterie-Regiments Nr. 76, trat aber noch vor Ausbruch des Ersten Weltkrieges in den Ruhestand. Ehrenhalber wurde auch ihm der Titel eines Generalmajors verliehen.[121]

Religionsübertritte

Wir müssen in diesem Zusammenhang betonen, daß alle genannten Generäle jüdischer Religion, d. h. nicht getauft waren.[122] Getaufte

Generäle jüdischer Herkunft gab es sehr früh. Einer der bekannteren war Feldmarschalleutnant Armand von Nordman (1759-1809), der seine militärische Laufbahn in Frankreich begonnen hatte, aber vor den Schrecken der französischen Revolution flüchtete. 1794 trat er in kaiserliche Dienste und befehligte zunächst die Legion Bourbon und später das Husaren-Regiment Nr. 10. 1805 führte er als Generalmajor eine Brigade in Italien und wurde 1806 mit dem Maria-Theresien-Orden ausgezeichnet. Bei Aspern und Deutsch Wagram 1809 kommandierte er die Avantgarde; er fiel am 6. Juli 1809 im Kampf.[123]
Ein Jahrhundert später wurde ein getaufter Jude, Generaloberst Samuel (Samu) Baron Hazai (geborener Kohn, 1851-1942), zuerst königlich ungarischer Verteidigungsminister (1910-1917) und dann als Chef des Ersatzwesens für die gesamte bewaffnete Macht (1917-1918) praktisch der zweitwichtigste Offizier in der Monarchie nach dem Chef des Generalstabes.[124]
Es ist aus den vorhandenen Unterlagen nicht möglich, anzugeben, wie viele jüdische Offiziere sich im Laufe ihrer Dienstzeit taufen ließen. Von den 373 jüdischen Offizieren in einer von Moritz Frühling 1911 zusammengestellten Liste hatten sich 108 vor oder während ihrer Dienstzeit taufen lassen. Der Anteil war bei den Stabsoffizieren höher: während ein Übertritt zum christlichen Glauben keine Bedingung für rasche Beförderung war, war er offensichtlich nicht karrierehemmend. Als Beispiel sei Adolf Kornhaber, Ritter von Pilis (1856-1925) genannt. Er war der Sohn eines Unteroffiziers und absolvierte die Theresianische Militärakademie in Wiener Neustadt. 1878 als Leutnant ausgemustert, nahm er mit dem Infanterie-Regiment Nr. 26 im selben Jahr an der Okkupation Bosniens teil. 1881 bis 1883 besuchte er die Kriegsschule und unterrichtete dann mehrere Jahre an der Unteroffiziers- bzw. Kadettenschule seines Regiments. Als Hauptmann 1895 zur k. u. Honvéd versetzt, ließ er sich nach seiner Beförderung zum Major taufen. 1905 wurde er Oberst und Kommandant des Honvéd-Infanterie-Regiments Nr. 5. Bei Kriegsbeginn 1914 war er Generalmajor des Ruhestandes, wurde aber reaktiviert und am 1. November 1914 zum Feldmarschalleutnant befördert. 1915 befehligte er die 51. Honvéd-Infanterie-Division und erwies sich als „ruhiger, energischer, zielbewußter Führer".[125]

Im Gegensatz dazu war die Zahl christlicher Offiziere, die zum jüdischen Glauben übertraten, minimal. Der erste derartige Fall dürfte 1870 vorgekommen sein. Anläßlich des Ansuchens Leutnant Anton Lux' (1847-1908) vom Feldartillerie-Regiment Nr. 3 wurde entschieden, „daß der ... Übertritt zur mosaischen Religion keinem Anstande unterliegt". Lux dürfte den Übertritt dann doch nicht vollzogen haben; zumindest findet sich in seinem Personalakt kein entsprechender Hinweis. Er war ein besonders fähiger Offizier und war zuletzt Oberst und Kommandant des Festungsartillerie-Regiments Nr. 3. Daneben machte er sich als Geograph und Afrikaforscher einen Namen; 1875/76 nahm er an einer Expedition nach Äquatorialafrika teil.[126] Als 1888 Leutnant Gustav Eichinger vom Festungsartillerie-Bataillon Nr. 8 in Przemyśl zum jüdischen Glauben übertrat, gab es allerdings Schwierigkeiten. Er selbst bat um Versetzung nach einer anderen Garnison, da „durch meinen bewirkten Übertritt zum mosaischen Glauben hierorts meine gesellschaftliche Stellung und jene gegenüber den Kameraden erschüttert ist." Dies dürfte insbesondere auf die Begleitumstände des Falles zurückzuführen gewesen sein, die bereits das Interesse der Boulevardpresse erregt hatten. Eichinger hatte beträchtliche Schulden, die teilweise von seinem zukünftigen Schwiegervater, einem Juden, beglichen wurden. Eichinger behauptete allerdings, seine Verlobte ehrlich zu lieben. Da er von seinem Kommandanten gedeckt wurde, bestand für die Behörden kein Anlaß zum Eingreifen. Feldmarschalleutnant Wilhelm von Wagner, der Kommandant der 1. Artillerie-Brigade, meinte dennoch, daß Eichinger Schritt „sowohl den Mann als das christliche Bekenntnis entehrt" habe; er halte ihn daher für „nicht mehr fähig, als Offizier im k. k. Heere zu dienen". Eichinger wurde schließlich nach drei Monaten zur Schweren Batterie-Division Nr. 17 überstellt und bereits ein Jahr nach diesem Vorfall zum Oberleutnant befördert. Er heiratete seine Verlobte aber doch nicht und trat später wieder zum Christentum über. 1892 legte er seine Offizierscharge nieder.[127]

Zwischen Gleichberechtigung und Vorurteilen

Dr. Wolfgang von Weisl (1896-1974), der als Offizier im Ersten Weltkrieg gedient hatte, betonte in seinen Erinnerungen, daß selbst deutschnational eingestellte Offiziere im Dienst keinerlei antisemitische Vorurteile erkennen ließen.[128] Dies wurde von anderen jüdischen Offizieren bestätigt. Oberleutnant Rudolf Kohn (geboren 1894) meinte beispielsweise: „Ich habe beim Militär überhaupt einen Antisemitiusmus nicht gespürt und das habe ich [den Habsburgern] sehr angerechnet."[129] Dem Militär nahestehende Zeitungen reagierten betont heftig auf antisemitische Auslassungen. 1900 hieß es beispielsweise in „Danzer's Armee-Zeitung":

> „In der kaiserlichen Armee existiert kein Nationalitäten-, kein Racenunterschied und keinerlei Glaubensstreit; in Einem Gliede stehen Deutsche, Slaven und Ungarn brüderlich nebeneinander, auf ein und dasselbe Kommando erheben Katholiken und Juden, Griechen, Protestanten und Türken die Hand zum Gebet und zum Schwur der Treue für Kaiser und Vaterland, auf Ein Commando gehen Alle vereint dem Tode entgegen, das Blut des Deutschen und des Slaven, des Christen und des Juden fließt auf dem Schlachtfelde in Einem großen Strom zusammen, und die im Kampfe für Kaiser und Reich Gefallenen werden gemeinsam in Eine große Grube gebettet, wo sie ohne Unterschied der Race und der Religion friedlich nebeneinander ruhen, bis sie von dem Einen höchsten Wesen gemeinsam wieder aufgerufen werden zum besseren Leben, in welchem es keine Racenungleichheit, keinen Antisemitismus, keinen Glaubensstreit mehr gibt."[130]

Natürlich gab es Ausnahmen. 1890 beispielsweise beschrieb Erzherzog Friedrich, der Kommandant des 5. Korps, den hochdekorierten Husarenoffizier Wolf Bardach Edlen von Chlumberg (1838-1911) als ungeeignet zur Beförderung und fügte hinzu, daß Bardach einen guten Trainoffizier abgeben würde. Bardach hatte sich als Artilleriekadett im Feldzug 1866 bewährt und war mit der Goldenen Tapferkeitsmedaille ausgezeichnet worden. Später wurde er zur Kavallerie versetzt und wurde 1875 zum Leutnant ernannt.[131] Erzherzog Friedrich wurde schon von Zeitgenossen des Antisemitismus bezichtigt: 1904 soll er angeordnet haben, daß in seinem Korpsbereich lediglich Christen Kanzleiunteroffiziere werden könnten; dies ließ sich aber anhand der Akten nicht bestätigen.[132]

Erzherzog Friedrich war vermutlich der prominenteste, aber keineswegs der einzige Offizier mit antisemitischen Ansichten. Im Ersten Weltkrieg ließ sich ein Brigadekommandant, der Juden und Ungarn gleichermaßen wenig schätzte, die Namen seiner ungarischen Offiziere übersetzen, um herauszufinden, ob sie Juden waren.[133] Im großen und ganzen aber erwies sich das Offizierskorps dem steigenden Antisemitismus gegenüber immun, der im zivilen Leben zu beobachten war. Die Stellung der Juden war im Heer sicher besser als in vielen Bereichen des Zivillebens. Dies war vor allem auf die besondere Einstellung der multi-nationalen k. u. k. Armee zurückzuführen, die nicht weniger als dreizehn Nationalitäten und zwölf Religionen umfaßte und ein einigendes Band des langsam zerfallenden Reiches darstellte. Obwohl zum überwiegenden Teil deutscher Nationalität und katholischer Religion, stellten die Offiziere ihre Aufgabe über die nationalistischen Streitereien. Ihre Treue gehörte nicht einer Nation, sondern dem Kaiser und dem Kaiserhaus.[134] Als 1901 die Stadtverwaltung von Wiener Neustadt, der Heimat der Militärakademie, bestimmte, daß bei festlichen Anlässen in Hinkunft neben den österreichischen auch schwarz-rot-goldene Flaggen (d. h. die deutschen Farben) gehißt werden sollten, schrieb das „Armeeblatt" empört, „daß es gerade für Wiener Neustadt nur eine Fahnenfarbe gebe[n darf]: schwarz-gelb", die Farben der Monarchie.[135] Kaiser Franz Joseph legte besonderen Wert auf die Einheit und übernationale Stellung seiner Armee. Zeitweise war der Vorstand der Militärkanzlei Seiner Majestät ein rumänisch-orthodoxer Offizier, Feldmarschalleutnant Leonidas Freiherr von Popp (1831-1908).[136]

Die im Vergleich zu anderen Staaten beachtliche Zahl jüdischer Offiziere in der k. u. k. Armee wurde von deutschnationalen Fanatikern in ihren Angriffen auf die Donaumonarchie ausgeschlachtet. Ein charakteristisches Beispiel war eine anonyme Broschüre aus dem Jahre 1891, die die Existenz jüdischer Offiziere als eine der Ursachen für die Unzulänglichkeiten der k. u. k. Armee nannte:

> „Die Zulassung der Juden in die Offizierskreise ist die natürliche Folge der Machtstellung, die der semitischen Rasse seit drei Dezennien in der Habsburgerischen Monarchie eingeräumt worden ist.
>
> Mit Ausnahme der französischen gibt es außer der österreichischen sonst keine einzige Armee in Europa, welche jüdische Offiziere aufzuweisen hätte, und jedes deutsche Offizierskorps würde vom Obersten bis zum jüngsten Lieutenant herunter seinen Abschied einreichen, wollte man ihm zwangsweise zumuten, einen Juden bei sich als Kameraden aufzunehmen!
>
> In Österreich gibt es sogar einen jüdischen General und zehn bis fünfzehn israelitische Stabsoffiziere, und mit der den Semiten eigentümlichen Befähigung, sich überall festzusaugen, wird es wohl auch nicht lange dauern, bis jedes Regiment ein halbes Dutzend jüdischer Offiziere besitzt und schließlich der größte Teil der österreichisch-ungarischen Armee verjudet sein wird!"[137]

Der Autor dieser Schrift riet seinen österreichischen Kameraden, dem deutschen Beispiel zu folgen, keine jüdischen Offiziere in die Regimenter aufzunehmen. Dies war möglich, da die Offiziere eines Regiments darüber abzustimmen hatten, ob ein Offiziersanwärter „offizierswürdig" sei. In Österreich-Ungarn scheint dies allerdings mehr eine Formalität gewesen zu sein, während es in Preußen als ein Mittel diente, Angehörige „minderer Klassen" vom Offiziersstand auszuschließen. Allerdings färbte der zunehmende Antisemitismus ab der Jahrhundertwende auch auf das Offizierskorps ab. Möglicherweise gehörte die sinkende Zahl jüdischer Offiziere zu den Folgen. Zumindest wurde dies von der Österreichisch-Israelitischen Union so ausgelegt, die 1904 beklagte, „daß auch die Ernennung von Juden zu Offizieren und Militärärzten eine wesentlichen Einschränkung erfahren hat".[138] Lediglich für 1911 liegen Vergleichszahlen für Offiziere und Offizersanwärter (sowohl im aktiven Dienst wie in der Reserve) vor, und die dabei zu beobachtende Diskrepanz zwischen dem Anteil jüdischer Offiziere und dem etwas höheren Anteil jüdischer Offiziersanwärter könnte diese Vorwürfe bestätigen. Allerdings fehlen Vergleichszahlen für andere Jahre. Man sollte auch die Statistiken nicht überinterpretieren. Dr. Wolfgang von Weisl, selbst jüdischer Offizier, meinte rückblickend, daß „die jüdische Gesellschaft .... ihre Söhne lieber Advokaten oder Ärzte werden [ließ] als Berufsoffiziere."[139]

Möglicherweise beeinflußte eine zunehmende Radikalisierung mancher katholischer Kreise die Armee noch stärker als der aus dem Zivilleben einfließende Antisemitismus. Dies war auch auf den Thronfolger, Erzherzog Franz Ferdinand, zurückzuführen, der zu Beginn des 20. Jahrhunderts großen Einfluß im militärischen Bereich erlangte. Selbst ein ausgesprochen frommer Katholik, verhinderte er beispielsweise die Ernennung eines protestantischen Offiziers, Ludwig Freiherrn von Holzhausen (1861-1914), zum Kommandanten der Theresianischen Militärakademie in Wiener Neustadt. Allzu liberale Militärgeistliche ließ er durch strengere Geistliche ersetzen.[140] Während sich diese Maßnahmen nicht ausdrücklich gegen Juden richteten, trugen sie nicht dazu bei, das Los nicht-katholischer Offiziere zu erleichtern, mögen sie nun Christen, Moslems oder Juden gewesen sein.

Gelegentlich wird behauptet, daß Feldmarschall Franz Conrad Graf von Hötzendorf, der langjährige Chef des Generalstabes und bis 1917 Österreich-Ungarns einflußreichster General, Antisemit gewesen sei.[141] Conrad hegte sicherlich keine übertriebenen Sympathien für das, was er „internationales Judentum" nannte, da es seiner Ansicht nach im Ersten Weltkrieg die Aktivitäten der Entente zur Zerschlagung der Donaumonarchie unterstützte. Er unterschied dieses „internationale" aber von Österreich-Ungarns „nationalem Judentum". Von diesem, so schrieb er, habe er zahlreiche „Anhänger ... getroffen, die ihr nationales Empfinden, das ich über jedes andere stelle, im Kriege mit dem Einsatz des Lebens erwiesen haben ... Da auch sie der großen Sache dienten, an deren Leitung mitzuwirken ich berufen war, würde es mir widerstreben, ihnen diese Anerkennung zu versagen." Gleichzeitig empfand Conrad sehr gemischte Gefühle gegenüber dem Katholizismus: „Ich habe die Lehren des Christentums nie vereinbar gehalten mit meinen Pflichten als Soldat! Eins oder das andere! ... Das Christentum, insbesondere das katholische, ist die Religion der besten Absicht, aber der schlechtesten Ausführung." Allerdings: „Religiöse Überzeugungen sind jedes Menschen höchst eigene Angelegenheit, die man zu schonen hat, soferne sie nicht zum Nachteil anderer geltend gemacht oder aufgedrängt werden."[142]

Landwehr, Honvéd und Kriegsmarine

Insgesamt war die Lage jüdischer Offiziere in der k. k. Landwehr ähnlich wie im k. u. k. Heer; genaue Zahlen fehlen leider. In der k. u. Honvéd war die Zahl jüdischer Offiziere hingegen erheblich größer. Eine Untersuchung von 800 Honvéd-Offizieren, die im Ersten Weltkrieg fielen, ergab einen Anteil von etwa einem Drittel jüdischer Offiziere (Berufs- und Reserveoffiziere), während das Verhältnis in einzelnen Regimentern noch höher lag (bis zu über 50 Prozent).[143] Diese Angaben dürften zu hoch sein, passen aber doch in das Bild der liberaleren bzw. judenfreundlicheren Einstellung der Ungarn, die prompt als „Judo-Magyaren" beschimpft wurden. In den Jahren bis 1917 kamen beispielsweise nicht weniger als drei ungarische Minister aus jüdischen Familien, darunter der bereits erwähnte Generaloberst Samuel (Samu) Baron Hazai.[144]

Ein weiterer Grund für den hohen Anteil jüdischer Offiziere in der k. u. Honvéd lag in deren sozialer Zusammensetzung. Obwohl die Schaffung einer eigenen ungarischen „Nationalarmee" zu den wichtigsten Anliegen der Ungarn gehört hatte, diente die Oberschicht (Adelige wie Bürgerliche) lieber im gemeinsamen Heer, während die Offiziersstellen der Honvéd durch Angehörige der mittleren und unteren Schichten ausgefüllt wurden. Für diese war die Honvéd das geeignete Mittel, ihre nationalistische Gesinnung unter Beweis zu stellen.

Vergleichsweise war hingegen der Anteil jüdischer Offiziere in der k. u. k. Kriegsmarine gering. Zwischen 1885 und 1911 waren kaum mehr als 0,1 Prozent der Marineoffiziere Juden.[145] Dies dürfte außer auf die geringe Größe der Marine am ehesten auf die nicht sehr zahlreiche jüdische Bevölkerung in Dalmatien und dem Küstenland zurückzuführen sein, da Antisemitismus in der traditionell weltoffeneren Marine wohl noch weniger anzutreffen war als im Heer. Einer der wenigen jüdischen Seeoffiziere war Friedrich Pick, Edler von

Seewarth (geboren 1839), der 1864 als Kadett an den Operationen gegen Dänemark teilnahm und dafür mit der Silbernen Tapferkeitsmedaille (1. Klasse) sowie dem Preußischen Ehrenzeichen (1. Klasse) dekoriert wurde. 1866 war er in Italien und 1869 in Dalmatien eingesetzt. Er wurde 1891 zum Fregattenkapitän (entsprechend einem Oberstleutnant im Heer) ernannt und im folgenden Jahr geadelt. 1895 trat er als Linienschiffskapitän (Oberstenrang) in den Ruhestand.[146]

Denselben Rang hatte wenige Jahre früher Moritz Ritter von Funk (1831-1905) erreicht. Funk hatte die Marineakademie absolviert; nach seiner Ausmusterung im Dezember 1848 nahm er an den Operationen der Kriege 1848/49, 1859, 1864 und 1866 teil. Von 1868 bis 1871 Chef der Zentralkanzlei der Marinesektion des Reichskriegsministeriums, wurde er 1871 zum Linienschiffskapitän befördert, gleichzeitig in den Ritterstand erhoben und zum Kommandanten der Korvette „Fasana" ernannt. Die „Fasana" unternahm 1871/72 eine wichtige Ostasienfahrt, die vor allem der Intensivierung der Handelsbeziehungen mit Siam (Thailand), China und Japan diente. Nach seiner Rückkehr wirkte Moritz Ritter von Funk an der Ausarbeitung eines Dienstreglements für die Kriegsmarine mit und trat 1881 in den Ruhestand.[147]

Offiziersehen

Ein weiterer Aspekt soll in diesem Zusammenhang erwähnt werden. Eine größere Anzahl von Offizieren war mit Frauen aus jüdischen Familien verheiratet. Dies beweist nicht nur erneut das Fehlen starker antisemitischer Tendenzen im Offizierskorps; immerhin spielten die Frauen der Offiziere eine wichtige Rolle im gesellschaftlichen Leben der Garnisonen und die Ehefrau eines Offiziers mußte genauso gesellschaftsfähig sein wie ihr Mann. Hier trafen die Interessen zahlreicher Offiziere mit den gesellschaftlichen Ambitionen des assimilierten, bürgerlichen Judentums zusammen. Für letztere war ein Offizier ein angesehener Schwiegersohn. Für einen Offizier aber war die Hochzeit oft genug eine finanzielle Frage. Um die Lage der Witwen bzw. Nachkommen gefallener Offiziere zu verbessern, war im achtzehnten Jahrhundert entschieden worden, Offizieren die Heirat nur zu erlauben, wenn das Paar über ein ausreichendes Zusatzeinkommen (aus Zinsen) verfügte - galt doch der vorzeitige Tod des Offiziers als Berufsrisiko. Dies war durchaus wohlgemeint, führte aber dazu, daß nur wenige Offiziere mit ihrem Einkommen eine derartige „Heiratskaution" hinterlegen konnten. Die Aufbringung der Kaution blieb daher oft der Familie der Braut überlassen. In manchen Regimentern lebten Offiziere sogar jahrelang ohne Trauschein mit ihren Freundinnen zusammen, weil sie sich die Kaution nicht leisten konnten. Diese Heiratskaution war für Offiziere im Generalstab besonders hoch.[148] Im Witz wurde festgestellt, daß der Unterschied zwischen einem Offizier im Train und seinem Kameraden im Generalstab folgender wäre: Der Trainoffizier wäre selbst Jude - während der Generalstäbler eine Jüdin zur Frau hätte. Das war sicherlich übertrieben, aber es ist unbestreitbar, daß eine Anzahl von Offizieren mit Frauen jüdischer Herkunft verheiratet waren, auch wenn dies statistisch nicht belegbar ist. Als Beispiel sei Feldmarschalleutnant Hugo Daler von Durlach-stein (1856-1922) genannt, der mit einer Frau aus einer jüdischen Familie verheiratet war. Seine Witwe wurde nach 1938 denunziert, von der Gestapo verhaftet und kam schließlich in Auschwitz ums Leben.[149]

Jüdische Reserveoffiziere

Zu den Reformen nach der Niederlage von 1866 gehörte die Reorganisation des Reserveoffiziers-Systems. Als Führer der erwarteten Massenheere wurden jene Personen ins Auge gefaßt, die im zivilen Leben Führungspositionen einnahmen: Maturanten und Akademiker. Daher wurde Maturanten und Studenten die Möglichkeit eröffnet, nur ein statt drei Jahren präsent zu dienen, sich dabei aber einer besonderen Ausbildung zu unterziehen. Nach Ablegung entsprechender Prüfungen konnten diese „Einjährig-Freiwilligen" dann zu Reserveoffizieren ernannt werden.

An den höheren Schulen und Universitäten waren Juden stärker vertreten, als es ihrem Anteil an der Gesamtbevölkerung entsprach. Dieser war nie höher als 4,8 Prozent, doch schon 1863 waren 7,1 Prozent aller Mittelschüler Juden. Dieser Anteil stieg bis 1890 auf 15,8 Prozent und 1910 auf 17,2 Prozent. An den Universitäten lag der Anteil jüdischer Studenten noch höher: 9,4 Prozent im Jahre 1863, dann 20,6 Prozent 1900 und 20,4 Prozent 1910.[150] Angesichts dieser Zahlen ist es nicht überraschend, daß zwischen 1897 und 1911 rund 18 Prozent aller Reserveoffiziere Juden waren.[151] Dieser Prozentsatz ist im Vergleich mit Preußen zu sehen, wo es zwischen 1885 und 1914 kein einziger von rund 30 000 jüdischen Reserveoffiziersanwärtern schaffte, zum Offizier ernannt zu werden.[152] In der k. u. Honvéd war der Anteil der Juden noch höher als im k. u. k. Heer.[153]

Die Verteilung der jüdischen Reserveoffiziere nach Waffengattungen entsprach ungefähr dem Bild bei den Berufsoffizieren: Die Masse diente in der Infanterie. Ihre Zahl war in der Kavallerie, der Jägertruppe und der Artillerie etwas geringer; hingegen waren sie im Sanitätswesen (bis 1905) und vor allem im Train deutlich überproportional vertreten: Beim Train waren 1906 37 Prozent aller Reserveoffiziere Juden. Diese Zahlen sagen allerdings noch nichts über die Verteilung auf Regimentsebene aus: Während Juden in der Artillerie insgesamt nicht sehr zahlreich vertreten waren, hatte ein Artillerie-Regiment wegen seines hohen Anteils jüdischer Einjährig-Freiwilliger und Reserveoffiziere den Spitznamen „Regiment von Rothschild".[154]

In Anbetracht der bürgerlichen Wertvorstellungen ist es verständlich, daß die Uniform des Reserveoffiziers für viele Juden das endgültige - und heißbegehrte - Symbol der Aufnahme in die Gesellschaft bedeutete. Das könnte auch erklären, warum der Anteil jüdischer Reserveoffiziere sogar höher war als der Anteil jüdischer Mittelschüler. Allem Anschein nach galt auch für sie das, was weiter oben über den geringen Einfluß des Antisemitismus in der Armee gesagt wurde. Immerhin war es im Militär möglich, eine gleiche Behandlung jüdischer Soldaten notfalls zu befehlen. Ein gutes Beispiel dafür lieferte die Diskussion über die „Satisfaktionsfähigkeit" der Juden.[155] Diese wurde gegen Ende des vorigen Jahrhunderts von zahlreichen Studentenverbindungen abgestritten. In der Armee war es hingegen unmöglich, ein Duell zu verweigern, weil der Gegner Jude war. Es gibt sogar Beispiele, daß Duelle unter diesen Bedingungen angeordnet wurden: widrigenfalls würden die Betroffenen ihre Charge verlieren. Ein derartiger Fall wurde vom Dragoner-Regiment Nr. 2 berichtet, wo ein Einjährig-Freiwilliger um 1890 einen jüdischen Kameraden beleidigte, ohne ihm Satisfaktion zu gewähren. Am nächsten Tag hielt kein geringerer als der Kommandant der Wiener Kavallerie-Division, Feldmarschalleutnant Wilhelm Gradl, den Kadetten eine zornige Ansprache und sagte sehr klar, daß jeder Einjährig-Freiwillige den Rock des Kaisers trage und daher zu achten sei - ungeachtet seiner Religion. Das Duell habe binnen 24 Stunden stattzufinden. Der Abteilungskommandant konnte denn auch bald dem General melden, daß beide Duellanten, „nicht unerheblich verletzt", ins Garnisonsspital eingeliefert worden waren.[156] Die Existenz jüdischer Reserveoffiziere zwang sogar einige Studentenverbindungen, in der Frage jüdischer Studenten weniger radikale Positionen einzunehmen.[157] Die „Duellfrage" war besonders wichtig, da viele Studenten Reserveoffiziere und als solche auch im Zivilleben dem strengen Ehrenkodex für Offiziere verpflichtet waren.[158]

Es muß hier betont werden, daß die Reserveoffiziere von der stark nationalistischen und damit oft antisemitischen Stimmung an den Mittelschulen und Universitäten weit stärker beeinflußt waren als die Berufsoffiziere, die dem akademischen Leben keine Sympathien entgegenbrachten. Anders als in Preußen bestand in Österreich-Ungarn immer eine gewisse Kluft zwischen Berufs- und Reserveoffizieren.

Der strenge Offiziers-Ehrenkodex betraf Reserveoffiziere in verschiedener Weise, vor allem, wenn sie als Schriftsteller oder Künstler tätig waren. Ein bekannter Fall ist jener Dr. Arthur Schnitzlers (1862-1931). Der Arzt und Schriftsteller verlor 1901 sein Offizierspatent als Oberarzt (Oberleutnantsrang) in der Landwehr, weil er in der Erzählung „Lieutenant Gustl" die Berechtigung des Duells in Frage gestellt hätte.[159] Es wurde gelegentlich behauptet, dies sei darauf zurückzuführen gewesen, daß Schnitzler Jude war. Dies trifft keineswegs zu: „Lieutenant Gustl" war zwar literarisch von Interesse, enthielt aber in den Augen mancher Militärs so viele Verstöße gegen den Offiziers-Comment, daß eine Degradierung des Autors geboten schien - ungeachtet seiner Religion.[160]

JÜDISCHE MILITÄRBEAMTE

Schon im 19. Jahrhundert war der Anteil der Verwaltung und Versorgung in der Armee beträchtlich. Daher gab es neben den Offizieren eine Gruppe, deren Sammelbezeichnung lautete: ,,Bei den Truppen und Anstalten eingeteilte Militärgeistliche, dem Soldatenstande nicht angehörende Offiziere und Militärbeamte''. Eine statistische Erfassung dieser Personen ist allerdings nicht einfach, da unter ihnen Militärärzte und hochrangige Wissenschaftler ebenso zu finden waren wie verschiedenes Hilfspersonal.[161] Die Mehrzahl allerdings bekleidetee Positionen, die Matura oder ein Studium erforderten. Angesichts des hohen jüdischen Anteils an den Maturanten und Akademikern ist es daher nicht verwunderlich, daß 1894 im Durchschnitt 18,4 Prozent der Militärbeamten Juden waren; 1911 waren es 13,6 Prozent. Unter Berücksichtigung der (überwiegend christlichen) Militärgeistlichkeit war der tatsächliche Anteil der Juden unter den Militärbeamten sogar noch etwas höher. Der Unterschied zwischen Berufs- und Reservelaufbahnen war weniger bemerkenswert als bei den Offizieren: 1897 waren 21 Prozent der Reservisten, aber nur 12,7 Prozent der Berufsbeamten Juden; 1911 betrugen die entsprechenden Zahlen 22,8 bzw. 7,4 Prozent.

Die Verteilung nach Laufbahnen bzw. Waffengattungen ist wenig auffällig: der jüdische Anteil beim Train war überdurchschnittlich hoch; die Zahl jüdischer Militärärzte hingegen, entgegen landläufigen Vorstellungen, keineswegs außergewöhnlich. Sowohl beim Train als auch beim Sanitätswesen waren allerdings die Unterschiede zwischen Berufs- und Reservelaufbahnen besonders deutlich. Auch hier gilt, wie schon bei den Offizieren erwähnt, daß es sich um Durchschnittsangaben handelt, die wenig über die Verteilung nach Einheiten bzw. Provinzen aussagen. In Galizien dürfte die Zahl der jüdischen Militärärzte besonders hoch gewesen sein, und die Militärbehörden fanden sich regelmäßig mit anonymen Anzeigen konfrontiert, daß die jüdischen Militärärzte jüdische ,,Stellungsumtriebe'' begünstigten und für Bestechungen besonders empfänglich wären. Diese Anzeigen waren fast immer unbegründet, trübten aber doch das sonst gute Einvernehmen. 1876 stellte General der Cavallerie Erwin Graf Neipperg, der Kommandierende General in Galizien, fest, „daß sich unter dem hiesigen militärärztlichen Offiziers-Korps mehr Israeliten befinden als es mit Rücksicht der im Lande herrschenden Verhältnisse wünschenswerth ist," und schlug vor, „daß durch eine Transferierung derselben in andere Kronländer die Veranlassung zu den hier so zahlreichen Denunciationen, deren Erhebungen meistens ganz resultatlos bleiben, zum Theil wegfallen würde."[162] Das blieb Wunschdenken, und die Armee mußte sich mit den besonderen Verhältnissen in Galizien abfinden.

Da die meisten Militärbeamten nicht bei der kämpfenden Truppe dienten, waren die Juden unter ihnen vermutlich noch weniger als ihre Offizierskameraden den antisemitischen Vorurteilen ausgesetzt, daß sie als Juden für das Militär ungeeignet wären. Hingegen mußten sie, wie ihre christlichen Kameraden, mit dem Vorwurf leben, nicht unbedingt todesmutig zu sein. Manchmal wurde angenommen, daß Juden aus Zweifel an ihren soldatischen Fähigkeiten bevorzugt für rückwärtige Dienste eingeteilt wurden.[163] Es gibt aber auch Beispiele, daß jüdische Offiziere mit allen Mitteln versuchten, eine angenehmere (und sichere) Verwendung fernab der Front zu erhalten.[164] Trotz ihrer Bedeutung für die Einsatzfähigkeit der Armee wurden die Militärbeamten weniger geachtet als die Offiziere der kämpfenden Truppe. Ein schneidiger Kavallerieoffizier konnte sicher sein, von der Gesellschaft im allgemeinen und den jungen Mädchen im besonderen wohlwollender betrachtet zu werden als ein in Ehren ergrauter Beamter mit merkbarem Bäuchlein („Mit der Intendanz geht ka Katz' zum Tanz!", wie es so schön hieß). Doch auch hier gab es Ausnahmen, und es gab elegante junge Beamte ebenso wie dickliche, überalterte Kavallerieoffiziere.

Es sollen hier nur wenige Beispiele für jüdische Militärärzte und Beamte genannt werden. Dr. Michael Waldstein (geboren 1823) hatte am Josephinum in Wien studiert und war 1850 promoviert worden. Als Militärarzt nahm er am Italienfeldzug 1859 teil. Später wurde er Sanitätschef zunächst des 15. Corps (1883) und dann des Wiener 2. Corps (1886). 1888 wurde er zum Generalstabsarzt ernannt und hatte somit Generalmajorsrang im militärärztlichen Dienst erreicht; 1891 wurde er pensioniert. Er wurde für seine Verdienste mit dem Prädikat „Edler vom Heilwehr" geadelt.[165]

Dr. Alois Pick (1859-1945) begann seine militärische Laufbahn als Einjährig-Freiwilliger. Nach dem Studium an der Universität Prag, das er 1882 als Doktor der gesamten Heilkunde abschloß, wurde er 1884 Militärarzt. Neben seiner beruflichen Tätigkeit machte er sich auch als Wissenschaftler einen Namen und unterrichtete zunächst als Privatdozent und dann als Professor an der Universität Wien. Der Platz, der in seinem Personaldokumenten für wissenschaftliche Veröffentlichungen vorgesehen war, mußte schon bald durch Ankleben eines Zusatzblattes verlängert werden. 1918 war Professor Pick als General-Oberstabsarzt (entspricht einem Feldmarschalleutnant) der vierthöchste Militärarzt der Monarchie und leitete die Militärärztliche Applikationsschule in Wien. Nach dem Ersten Weltkrieg war Pick eine Zeitlang Präsident der Israelitischen Kultusgemeinde in Wien.[166]

Ein anderer jüdischer Militärarzt war Dr. Leopold Herz (geboren 1852), vor seiner Pensionierung (1911) zuletzt Oberstabsarzt 2. Classe (= Oberstleutnant) und Leiter des Garnisonsspitals Nr. 3 in Przemyśl. 1902 verfaßte er eine hervorragende Studie über die medizinischen Aspekte des Anglo-Burenkrieges 1899-1902: „Der Sanitätsdienst bei der englischen Armee im Kriege gegen die Buren".[167]

Dr. Siegfried Plaschkes (1886-1964) war im Ersten Weltkrieg ein junger Landsturm-Assistenzarzt (Leutnantsrang, auf Kriegsdauer). Er diente in Militärspitälern an der Serbischen und dann der Italienischen Front. Bereits 1915 wurde er mit dem Goldenen Verdienstkreuz mit der Krone am Bande der Tapferkeitsmedaille ausgezeichnet. 1916 wurde er Oberarzt (entsprechend einem Oberleutnant) und im folgenden Jahr wurde ihm das begehrte Ritterkreuz des Franz-Josephs-Ordens mit der Kriegsdekoration verliehen.[168]

In einem ganz anderen Bereich machte sich Siegfried Popper (1848-1933) um Österreich-Ungarns Militär verdient. Nach dem Studium der Technik in Prag trat er 1869 in den technischen Dienst der Kriegsmarine ein. 1904 wurde er zum General-Schiffsbauingenieur ernannt. Nach seiner Pensionierung 1907 setzte er seine Arbeit im

Dienst des Stabilimento Tecnico Triestino fort. Nach seinen Plänen wurden in Triest die vier „Dreadnoughts" der „Tegetthoff"-Klasse gebaut, die modernsten Schlachtschiffe der Donaumonarchie. Popper wurde unter anderem mit dem Ritterkreuz des Franz-Josephs-Ordens (1895) und dem Orden der Eisernen Krone (3. Klasse) ausgezeichnet (1900).[169]

Feldrabbiner

1918 gab es im k. u. k. Heer nicht weniger als 76 Feldrabbiner - das allein zeigt, wie wichtig der Anteil jüdischer Soldaten damals war. Die Einteilung von Feldrabbinern in Kriegszeiten war schon 1866 erwogen worden. Am 26. Juni 1866 hatte Kaiser Franz Joseph der Ernennung je eines Feldrabbiners für die Nord- und die Südarmee zugestimmt. Der kurze Krieg war jedoch zu Ende, bevor es zur Durchführung dieser Entscheidung kam. In Friedenszeiten wurde die Einrichtung eines Feldrabbinats zunächst für unzweckmäßig erachtet, da die jüdischen Soldaten über die ganze Monarchie verstreut waren.[170] Zum Vergleich soll nur erwähnt werden, daß protestantische Soldaten schon im 18. Jahrhundert im kaiserlichen Heer dienten, aber erst 1834 die ersten protestantischen „Militär-Capläne" angestellt wurden, um die protestantischen Soldaten in Italien zu betreuen.[171]

1875 wurde der erste Feldrabbiner der Reserve ernannt, der im Falle einer Mobilmachung der 2. Armee zugeteilt werden sollte. Noch im selben Jahr wurde die Vormerkung zweier weiterer Feldrabbiner für die 1. bzw. 3. Armee beschlossen.[172] In Friedenszeiten wurden jüdische Soldaten in der Regel durch örtliche zivile Rabbiner betreut. Das dürfte meistens gut funktioniert haben; 1896 beantragte Dr. Alexander Kisch aus Prag sogar die Verleihung der Bezeichnung „Oberrabbiner der Prager Garnison". Das Reichskriegsministerium mußte dies trotz seiner Verdienste ablehnen, da ein solcher Titel nicht vorgesehen war.[173]

Bei Ausbruch des Ersten Weltkrieges 1914 gab es im k. u. k. Heer bereits zehn Feldrabbiner der Reserve. Bis Kriegsende wurden zehn weitere Feldrabbiner der Reserve ernannt und überdies nicht weniger als 56 „auf Kriegsdauer" verpflichtet. Sie waren alle in der IX. Rangsklasse eingeteilt, die dem Rang eines Hauptmanns entsprach. Sie trugen laut Vorschrift schwarze Kleidung, dazu „in Paradeadjustierung" einen schwarzen Halbzylinder mit einer zwei Zentimeter breiten goldenen Hutborte. Im Feld trugen sie eine feldgraue Uniform mit schwarzsamtenen Kragenspiegeln. Rangabzeichen waren jeweils drei schmale goldene Borten am Ärmelaufschlag.[174] Üblicherweise waren die Feldrabbiner den Korps und Armeen zugeteilt. Sie bemühten sich um die Bedürfnisse der jüdischen Soldaten und versorgten sie nach Möglichkeit auch mit koscherem Essen. Sie waren auch bestrebt, die militärischen Leistungen ihrer Schützlinge bekannt zu machen und Benachteiligungen zu vermeiden. Es war nicht zuletzt dem Wirken der Feldrabbiner zu verdanken, daß es in Österreich nicht zu ähnlichen diskriminierenden Maßnahmen wie der deutschen „Judenzählung" des Jahres 1916 kam - einer Untersuchung, die beweisen sollte, daß die meisten Juden als Drückeberger in der Etappe dienten; das Ergebnis zeigte allerdings das Gegenteil. Dr. Adolf Altmann (1879-1944) beispielsweise, der von 1915 bis 1918 der 10. Armee in Südtirol zugeteilt war, sammelte Bestätigungen hochrangiger Offiziere über die Leistungen jüdischer Soldaten im Kampf. Im Ersten Weltkrieg tauchten gelegentlich Probleme mit Feldpostbriefen in hebräischer Schrift auf, da dafür nicht immer geeignete Zensoren zur Verfügung standen. Meistens übernahmen Feldrabbiner auch diese Aufgabe.[175] Daneben widmeten sich Feldrabbiner, vor allem im Osten, der Sozialfürsorge für die notleidende Zivilbevölkerung. Dr. Rubin Färber (1869-1955) beispielsweise wurde für seine Verdienste in diesem Bereich zum Ehrenbürger der Stadt Wladimir Wolynski ernannt.[176]

DER ERSTE WELTKRIEG

Im Ersten Weltkrieg war der Anteil jüdischer Wehrpflichtiger, die um Befreiung vom Militärdienst ansuchten, größer als der Anteil bei anderen Glaubensgemeinschaften. Es wurde von zahlreichen Fällen berichtet, daß jüdische Soldaten Krankheiten vortäuschten, um dem Dienst zu entgehen.[177] 1916 beispielsweise wurden im Militärspital Krakau „bei sehr vielen Heeres- und Landsturmpflichtigen mosaischer Religion" künstlich hervorgerufene Hämorrhoiden-Entzündungen festgestellt, während in Przemyśl auffallend viele Juden mit ausgerenkten Schulterblättern zur Stellung erschienen.[178] Dieses Verhalten wurde oft genug als „typisch jüdisch" kritisiert: „Überall grinst ihr Gesicht, nur im Schützengraben nicht!" Allerdings waren andere Volksgruppen keineswegs vor Feigheit gefeit: Während der Kämpfe in Serbien 1914 schossen sich zahlreiche tschechische Soldaten in Zehen oder Finger, um durch diese Selbstverstümmelung dem Einsatz an der Front zu entgehen. Ein loyaler Soldat aus Prag meinte dazu: „Ich schäme mich, ein Prager zu sein!"[179] Eine Untersuchung, die gegenwärtig im Wiener Kriegsarchiv durchgeführt wird, zeigt, daß eine überraschend hohe Anzahl tschechischer und anderer slawischer Reserveoffiziere desertierte. Demgegenüber war die Zahl jüdischer Fahnenflüchtiger äußerst gering.[180] Dennoch galten Versuche, dem Frontdienst zu entgehen, als „typisch jüdisch". Daß zahlreiche prominente Schriftsteller und Künstler, viele von ihnen Juden, durch „Beziehungen" in vergleichsweise angenehme Stellen beim Kriegspressequartier oder im Kriegsarchiv gelangten, trug nicht dazu bei, diese Ansichten zu ändern.[181]

Ebenso zahlreich sind aber auch Beispiele für hervorragende Tapferkeit jüdischer Soldaten. Das „Jüdische Kriegsgedenkblatt", das von Moritz Frühling herausgegeben wurde und von dem 1914 bis 1917 insgesamt sechs Hefte erschienen, brachte Nachrufe und Würdigungen für tapfere jüdische Offiziere, Unteroffiziere und Mannschaften. Nicht zuletzt sollte damit antijüdischen Vorurteilen begegnet werden. Als der Krieg 1914 ausbrach, begrüßten Österreicher und Ungarn aller Nationalitäten und Religionen diese Gelegenheit, den „verräterischen Serben" eine Lektion zu erteilen. Die Juden bildeten keine Ausnahme - im Gegenteil: Vor allem die gebildeteren Juden aus dem Westen, viele von ihnen Reserveoffiziere, waren voll Begeisterung, ihre russischen Brüder von dem Joch der Zarenherrschaft zu befreien.[182] Die „doppelte Loyalität" jüdischer Soldaten einerseits dem Staat und andererseits dem Judentum gegenüber führte im Ersten Weltkrieg kaum zu Gewissenskonflikten, da gerade viele Juden die Donaumonarchie bejahten. Es gibt sogar Berichte, wonach jüdische k. u. k. Soldaten beim Zusammentreffen mit jüdischen russischen Soldaten letztere sehr leicht zur Flucht veranlassen konnten: Die tolerante Atmosphäre des Habsburger-Reiches war offenbar verlockender als Unterdrückung und Pogrome im zaristischen Rußland. Ein russischer Jude teilte den österreichischen Behörden im August 1914 mit, „daß man dort den österreichischen Waffen Glück wünsche." Obwohl rund 500 000 Juden in der russischen Armee dienten, wurde die antijüdische Politik nach Kriegsausbruch 1914 noch verschärft; es kam zu Ausschreitungen und umfangreichen Aussiedelungen. Juden wurden vielfach als Spione für Österreich-Ungarn verdächtigt und ihnen (teilweise nicht unbegründet) vorgeworfen, die Habsburger den russischen Zaren vorzuziehen. [183]

Der bekannte zionistische Künstler Ephraim M. Lilien (1874-1925) wurde trotz seines Alters voller Begeisterung Kriegsfreiwilliger. Er wurde schließlich dem Kriegspressequartier zugeteilt und unternahm 1918 eine wichtige Foto- und Propagandafahrt in die Türkei. In Anerkennung seiner Leistungen wurde er 1918 Leutnant.[184] Es war wohl kein Zufall, daß das bekannteste Lied des Ersten Weltkrieges von einem Juden verfaßt wurde, Dr. Hugo Zuckermann. Sein „Reiterlied" wurde von Franz Lehár vertont und fing die Begeisterung des Jahres 1914 ein: die Erwartung des Sieges und die Überzeugung, für eine gerechte Sache zu kämpfen und notfalls zu sterben. Nach Kriegsausbruch 1914 dichtete er, als Leutnant der Reserve im Landwehr-Infanterie-Regiment Nr. 11:

"Radetzky, schau vom Himmel drein
Und segne deine Streiter!
Kein Fußbreit Boden darf russisch sein,
wir machen die Grenzen breiter. ..."

Allerdings: Es sollte anders kommen und der Krieg war nicht schon zu Weihnachten zu Ende. Dr. Zuckermann selbst ließ schon im Herbst 1914 sein Leben auf dem Schlachtfeld.[185] Da in diesen ersten Kriegsmonaten eine enorme Zahl an Berufsoffizieren fiel - Verluste, von denen sich die k. u. k. Armee nie mehr erholte - wuchs die Bedeutung der Reserveoffiziere.[186] Wenn wir bedenken, daß fast ein Fünftel aller Reserveoffiziere Juden waren, so erscheint der Schluß gerechtfertigt, daß (Berufs- und Reserveoffiziere zusammengenommen) im Zeitraum 1915 bis 1918 fast zehn Prozent aller Offiziere Juden waren.

Angeblich dienten insgesamt zwischen 275 000 und 400 000 Juden im Ersten Weltkrieg in der österreichisch-ungarischen Armee.[187] Eine Zahl von rund 300 000 erscheint zutreffend, da zwischen 1914 und 1918 insgesamt rund neun Millionen Soldaten aufgeboten wurden. Genauere Angaben sind aber nicht möglich, da zahlreiche Soldaten, vor allem Landsturmmänner, keine ordentlichen Grundbuchsblätter erhielten, sondern lediglich provisorische ,,Evidenzblätter" ohne Angaben über ihre Religion.[188]

Daß zahlreiche Juden tapfer dienten, ist bekannt. Daher mögen hier einzelne Beispiele genügen: Zugsführer Aron Schapira (geboren 1896) war Reserve-Unteroffizier im Ulanen-Regiment Nr. 7. Während der ersten Kämpfe in Galizien 1914 ritt er, zeitweise in Zivilkleidern, zur Erkundung weit hinter die russischen Linien. Mittlerweile dafür mit der Silbernen Tapferkeitsmedaille (1. Klasse) ausgezeichnet, unternahm er Mitte Dezember 1914 einen weiteren Aufklärungsritt, diesmal zusammen mit einem Korporal. Bei dieser Gelegenheit gelang es, nicht weniger als 150 Russen gefangenzunehmen und gleichzeitig eine russische Batterie in die Flucht zu schlagen. 1915 wurde Schapira dafür die Goldene Tapferkeitsmedaille zuerkannt, die ihm der Armeeoberkommandant, Erzherzog Friedrich, überreichte. Später suchte Schapira, mittlerweise zum Stabswachtmeister befördert, um seine Versetzung zu den Luftfahrtruppen an. Er wurde Dienstführender Unteroffizier der Fliegerkompanie 34 an der Italienischen Front. 1918 war er einer Fliegereinheit in Kiew in der besetzten Ukraine zugeteilt.[189] Ein Namensvetter, Dr. David Schapira (1897-1984) erhielt für seine Verdienste die Silberne Tapferkeitsmedaille (1. Klasse) und wurde Reserveoffizier. Er wurde schwer verwundet und verlor das Augenlicht. Dennoch studierte er nach dem Krieg erfolgreich Rechtswissenschaften. 1948 bis 1950 war er Präsident der Israelitischen Kultusgemeinde in Wien.[190]

Fähnrich in der Reserve Josef Kulka trat 1915 im Alter von 19 Jahren in die k. u. k. Armee ein und diente zunächst im Infanterie-Regiment Nr. 20, dann im 4. Bosnisch-Herzegowinischen Feldjäger-Bataillon. Er wurde 1915 verwundet und erhielt 1916 die Bronzene Tapferkeitsmedaille. In der Zwölften Isonzoschlacht, dem berühmten Durchbruch bei Flitsch-Tolmein 1917, führte er seinen Zug so kühn, daß er schon einen Monat später mit der Goldenen Tapferkeitsmedaille ausgezeichnet wurde.[191] Insgesamt wurde die Zahl der an der Front gefallenen jüdischen Offiziere auf über 1000 geschätzt; aus einzelnen Verlustlisten wurde ein Prozentsatz vom 6,78 Prozent aller gefallener Offiziere errechnet. Rund die Hälfte der jüdischen Berufsoffiziere und 7,22 Prozent der Reserveoffiziere wurden mit dem Orden der Eisernen Krone (3. Klasse) oder einer höheren Auszeichnung dekoriert.[192]

Jüdische Flüchtlinge

Viele Juden, vor allem im Westen der Monarchie unterstützten den Krieg aus patriotischer Überzeugung. Hingegen hatten viele Juden in Galizien gemischte Gefühle: Immerhin wurde Galizien sehr rasch zum Hauptkriegsschauplatz. Eine der Folgen war die Flucht einer beträchtlichen Zahl galizischer „Ostjuden" nach Westen, vor allem nach Wien. Im Herbst 1915 hielten sich einem Polizeibericht zufolge 137 000 Flüchtlinge in Wien auf, von denen 77 000 mittellose Juden waren. Der Romancier Joseph Roth schrieb, es gebe „kein schwereres Los als das eines fremden Ostjuden in Wien".[193] Schon vor dem Krieg waren die „Ostjuden" in Wien nicht willkommen gewesen, auch nicht bei den bereits assimilierten Wiener Juden. George Clare (geboren als Georg Klaar) schrieb in seiner faszinierenden Autobiographie, daß „in Wien geborene Juden ... eine gewisse Abneigung gegenüber den weniger assimilierten Juden aus dem Osten [empfanden]. Wir waren, oder glaubten es wenigstens zu sein, so ganz anders als diese bärtige, kaftangewandete Gesellschaft. Wir waren nicht bloß Österreicher, wir waren Deutsch-Österreicher!"[194]

Die seltsam gekleideten Ostjuden wurden fälschlich weniger als arme Flüchtlinge gesehen, sondern vielmehr als Feiglinge und Kriegsgewinnler verachtet, und abgelehnt, die ins sichere Wien geflüchtet waren, während zahlreiche Wiener an der Front fielen. Sie wurden eine Zielscheibe antisemitischer Agitation und blieben dies auch nach Ende des Krieges.[195]

DIE ZEIT NACH 1918: ENDE UND ANFANG

In der Alten Monarchie galten die Juden manchmal als die einzig „übernationale" Gemeinschaft, die einzigen wahren Österreicher in einem Reich, das durch Nationalitätenkämpfe zerrissen wurde. Dies galt vielleicht am stärksten für jene Juden, die in der Armee dienten, die sich ja selbst als Bindeglied über den Nationalitäten empfand. In seinem ergreifenden Stück „3. November 1918" über die letzten Tage der Monarchie beschrieb Franz Theodor Csokor das Begräbnis eines kaiserlichen Offiziers, der in einem Spital in den Kärntner Bergen Selbstmord begangen hatte, als die Nachricht vom Zusammenbruch eintraf. Die anwesenden Offiziere repräsentieren die verschiedenen Nationalitäten. Jeder spricht, als er die Schaufel mit Erde auf den Sarg wirft: „Erde aus Polen" - „Erde aus Ungarn" - usw. Der jüdische Arzt ist der einzige, der schließlich „Erde aus - Österreich" gibt. Vor allem für die Juden kündigte die Zerschlagung der Donaumonarchie und die sogenannte Revolution von 1918 eine neue Zeit an, die in vielem schrecklicher werden sollte als die Zeit davor. Nur wenige Juden allerdings gingen so weit wie ein Marineoffizier jüdischer Abstammung, der sich einige Zeit nach dem Zusammenbruch im Wienerwald erschoß, eingehüllt in die Seekriegsflagge, die er von seinem Unterseeboot gerettet hatte.[196]

In den Jahren von 1918 bis 1938 vertraten Politiker fast aller Lager und Parteien antisemitische Parolen. Die Gründe für das Zunehmen des Antisemitismus waren vielfältig. Es muß offen bleiben, wie weit die vergleichsweise hohe Zahl jüdischer Offiziere diese Stimmung noch verstärkt hatte. Immerhin waren Offiziere nach 1918 schlecht angeschrieben; sowohl der adelige Offizier wie der jüdische Kapitalist waren beliebte Feindbilder der sozialdemokratischen wie der nationalsozialistischen Propaganda.[197] Dem angeblich hohen Anteil der Juden im Versorgungswesen wurde gerne dessen Zusammenbruch angelastet, der letztlich zur Niederlage der Mittelmächte beigetragen hatte. Rudolf Jeremias Kreutz (der diese Haltung nicht teilte) beschrieb diese Vorwürfe 1931 folgendermaßen: „Die elastische Weisheit des Egoismus nennt die völkische Einstellung ... jüdisch und schreibt ihr die Schuld an der Niederlage, an der Niederlegung der Waffen zu. Der berühmte 'Dolchstoß von rückwärts' wurde ihrer Meinung nach kraft dreier Komponenten wirksam. Scheu vor zweckloser Opferung hieß die eine, Gier nach zweckvoller Bereicherung die zweite, Radikalisierung des Abwehrwillens gegen ein System, das sich erfolglos zu Tode kämpfte, die dritte. Oder anders ausgedrückt: theoretische Vorbereitung des Eselstritts nach dem Löwen hin, der im Verenden lag."[198] Die Juden wurden oft beschuldigt, Lebensmittel und Versorgungsgüter zurückgehalten zu haben, um ihren Profit zu erhöhen, während die Soldaten an der Front und die Familien in der Heimat verhungerten.[199] Diese Vorwürfe fanden teilweise auch bei Offizieren Gehör. Immerhin ist es auffallend, daß beispielsweise in „Danzer's Armee-Zeitung", die vor dem Ersten Weltkrieg betont gegen den Antisemitismus aufgetreten war, 1919 antisemitische Beiträge erscheinen konnten.[200] Dennoch erwies sich auch das Erste Bundesheer dem Antisemitismus gegenüber bemerkenswert resistent.

Vielfach wurde für die Niederlage das Versagen des Offizierskorps verantwortlich gemacht. Obwohl nur zum Teil gerechtfertigt, ist dieser Vorwurf in unserem Zusammenhang nicht ohne Bedeutung: Auf den hohen Anteil der Juden unter den Offizieren wurde bereits hingewiesen. Dazu kam, daß in Österreich-Ungarn bewährte Unteroffiziere nur unter großen Schwierigkeiten zu Offizieren befördert werden konnten. Anders als in früheren Zeiten war dies gegen Ende des 19. Jahrhunderts fast unmöglich geworden. Daran änderte sich auch während des Krieges sehr wenig. Hervorragende Jagdflieger wie Offiziersstellvertreter Julius Arigi (1895-1981), der 32 Luftsiege erkämpfte und als einziger Soldat fünfmal die Goldene Tapferkeitsmedaille verliehen bekam, blieben Unteroffiziere, während junge Mittelschüler binnen weniger Monate Offiziere wurden.[201] Daß dies zu Spannungen führte, ist kaum überraschend - und jeder fünfte Reserveoffizier war Jude. Vielleicht ist es kein Zufall, daß der Landesleiter der (illegalen) österreichischen NSDAP vor dem „Anschluß" Österreichs an das Deutsche Reich 1938, Josef Leopold, im Ersten Weltkrieg hochdekorierter Unteroffizier gewesen und erst nach 1918 als „Volkswehrleutnant" Offizier geworden war.

Juden im Bundesheer der Ersten Republik

Da der Friedensvertrag von St. Germain (1919) Österreich nur ein kleines Berufsheer von 30 000 Mann erlaubte, war die Zahl jüdischer Offiziere, Unteroffiziere und Mannschaften im Bundesheer zunächst sehr gering. Erst mit der Einführung der allgemeinen Wehrpflicht 1936 stieg die Zahl der jüdischen Soldaten etwas an, zumal damals auch die Institution des „Einjährig-Freiwilligen" wieder geschaffen wurde.

Zu den bekannteren jüdischen Offizieren gehörte Emil (von) Sommer (1869-1946), der im Weltkrieg ein Regiment geführt hatte und ein hervorragender Offizier war. Sommer trat 1923 als Oberst in den Ruhestand und erhielt später ehrenhalber den Titel eines Generalmajors verliehen.[202] Trotz des bereits stark rassisch geprägten Antisemitismus dieser Zeit wurde Johann Friedländer (1882-1944), ein hervorragender Generalstabsoffizier jüdischer Herkunft, 1925 Regimentskommandant und 1928 Leiter der Abteilung I/2 (Ausbildung) des Verteidigungsministeriums. 1932 zum Generalmajor ernannt, wurde er 1936 in den Stab des Generaltruppeninspektors berufen. Bei seiner Pensionierung 1937 erhielt er den Titel eines Feldmarschalleutnants.[203] Auch Dr. Robert Hecht, Sektionschef im Verteidigungsministerum und einflußreicher Berater der Regierungschefs in den dreißiger Jahren, war jüdischer Herkunft.[204] Während Dr. Hecht noch 1938 und Friedländer 1944 von den Nationalsozialisten ermordet wurden, gelang Sommer die Flucht in die Vereinigten Staaten.

Die Erste Republik war von einem zwanzigjährigen „Kalten Bürgerkrieg" gekennzeichnet. Dementsprechend gab es neben dem schwachen Bundesheer zahlreiche paramilitärische Parteiformationen und Privatarmeen. Da viele Juden die Sozialdemokraten unterstützten, fanden sich in den Reihen des „Republikanischen Schutzbundes", der Wehrformation der Sozialdemokratischen Arbeiterpartei, zahlreiche Juden. Andere aber dienten in den rechtsstehenden Heimwehren; vor allem ab 1933/34, als die Gefahr des Nationalsozialismus zunahm. Dr. Max (Graf) Thurn erinnerte sich, daß in seiner motorisierten Formation des Wiener Heimatschutzes über ein Viertel

Juden waren, darunter der Kommandant.[205] Dies bildete allerdings eine Ausnahme.

Der „Bund Jüdischer Frontsoldaten" (BJF) hatte zuletzt (1938) 24 000 Mitglieder.[206] Diese Kombination aus Veteranenverband und jüdischer Selbstschutzgruppe war 1932 errichtet worden, um Juden vor nationalsozialistischen Angriffen zu schützen. Die Leitung hatte zunächst Generalmajor i. R. Emil (von) Sommer, ab 1934 Hauptmann i. R. Sigmund (Edler von) Friedmann (1892-1964), ein hochdekorierter Weltkriegsoffizier. Der BJF war eine konservative Organisation, die die Regierung unterstützte und in die „Vaterländische Front" eingebunden war. Es gab beim BJF auch eigene Frauen- und Jugendgruppen sowie einen „Sturmkader".[207] Der BJF verstand sich als "Schild und Schwert des Judentums" gegen Angriffe von außen, wie es Hauptmann Friedmann in einer Rede am 4. Oktober 1934 formulierte, aber auch als wichtiger Faktor für eine innere „Einigung des Judentums."

Nach der nationalsozialistischen „Machtübernahme" in Österreich am 11. März 1938 und dem folgenden „Anschluß" Österreichs an das Deutsche Reich wurde das österreichische Bundesheer in die Deutsche Wehrmacht übernommen. Jüdische Soldaten (bzw. „Nichtarier" im Sinne der Nürnberger Gesetze) wurden, manchmal mit gekürzten Bezügen, pensioniert. Ihre Gesamtzahl ist nicht genau bekannt. Aus den Unterlagen ist eine Zahl von 238 im Laufe des Jahres 1938 aus rassischen Gründen pensionierten Heeresangehörigen (großteils Offizieren) feststellbar, doch könnte die Gesamtzahl größer sein. Es handelte sich dabei gleichermaßen um „jüdische" (meist getaufte) Soldaten wie um solche, deren Ehefrauen jüdischer Herkunft waren.[208] „Mischlinge" („Vierteljuden", d. h. Personen mit einem jüdischen Großelternteil) konnten in der Wehrmacht bis 1940 dienen; dann wurden auch sie - zusammen mit Angehörigen ehemals regierender deutscher Fürstenhäuser und des Jesuitenordens - „wehrunwürdig".[209] Eine große Anzahl jüdischer Soldaten, darunter Offiziere sowie hochdekorierte Veteranen des Ersten Weltkrieges, wurden von Nationalsozialisten ermordet.[210]

Zahlreiche österreichische Juden kämpften im Zweiten Weltkrieg in den Reihen der alliierten Armeen für die Befreiung Österreichs und gegen das nationalsozialistische Dritte Reich. Sie leisteten damit einen Teil des „österreichischen Beitrags" zur Befreiung Österreichs, wie er von den Alliierten in der „Moskauer Deklaration" 1943 angesprochen worden war. Eine genaue Zahl ist nicht bekannt, doch bewegen sich Schätzungen in der Größenordnung von 10 000 Mann oder mehr.[211]

Der BJF wurde nach dem „Anschluß" aufgelöst. Sigmund (Edler von) Friedmann konnte allerdings nach Palästina flüchten, wo er unter dem Namen Eitan Avisar stellvertretender Generalstabschef der „Haganah", der israelischen Untergrundarmee, wurde. Später, zum Aluf (Generalmajor) befördert, war er Vorsitzender des israelischen Obersten Militärgerichts.[212] Andere Österreicher in der „Haganah" waren Rudolf Löw (Rafael Lev, gestorben 1961), ein früherer Ausbilder des Republikanischen Schutzbundes (der Wehrformation der Sozialdemokraten), und Dr. Wolfgang (von) Weisl (1896-1974), der 1948 eine Batterie im Negev befehligte und besonders stolz auf seinen Dienst in der k. u. k. Armee war.[213]

Es mag schwierig sein, sich einen extremeren Gegensatz vorzustellen als jenen zwischen der altehrwürdigen k. u. k. Armee und den Streitkräften des entstehenden Staates Israel. Die Rolle, die jüdische Österreicher in der Haganah und dann in der israelischen Armee spielten, wäre ein interessantes Thema für eine eigene Untersuchung - doch liegt das außerhalb des Rahmens der vorliegenden Publikation.

Die Anmerkungen folgen auf den Seiten 153 - 165.

Erwin A. Schmidl

JEWS IN THE HABSBURG ARMED FORCES

1788 – 1918

JEWS IN THE HABSBURG ARMED FORCES 1788 - 1918

A study of Jewish involvement in the Austro-Hungarian military is interesting for several reasons. First of all, it forms an important part of the history of Austrian and Hungarian - i.e. Central and Eastern European - Jewry in general. As military service was regarded as a prerequisite for the granting of civil rights, it was linked with the problem of Jewish integration into gentile society. Secondly, it can serve as a case study on the gradual integration of a minority into a nation's armed forces. Many of the problems encountered in the course of the Jewish soldiers' integration into the Austro-Hungarian armed forces are similar to the problems faced by armies today when it comes to the integration of national or religious minorities (or women). A third reason for the study of Jewish soldiers was often cited in earlier publications, [1] but is of less importance today: to show that Jews can be good soldiers. Over the last 40 years, the Israel Defence Forces have proved this better than any historical study could do.

In the following paper we shall confine ourselves to soldiers of Jewish religion. There are two reasons for this. First of all, in the eighteenth and nineteenth centuries baptised Jews were largely accepted as equals by their gentile contemporaries and there is no reason to assume that a Christian soldier was treated differently from his comrades if he had Jewish ancestors.

Secondly, from our sources we are not able to trace Jewish ancestors. Unless a soldier's religion is given as Jewish (''israelitisch'', ''mosaisch'') in his personal files, there is no proof of his Jewish background - nor of a possible Jewish identity. We can usually find out when a Jewish soldier was baptised after his enlistment, but not whether he still regarded himself as a Jew or whether he was seen as one by his comrades. This should not imply that baptised soldiers were less able than Jewish ones. But as far as our sources are concerned, we are on firm ground only if we limit our study to individuals of Jewish religion.

The Position of Jews prior to 1788

Jewish military service in Austria started in the late eighteenth century. Before that time, Jews were not considered elegible for military service. This practice dated back to the thirteenth century when Jews lost the right to carry arms. They were put under special imperial / royal protection instead, but there was little doubt that, although it was a privilege for a priest not to carry a sword, it was dishonourable for a Jew to be disarmed.[2] In times of need, Jews had supported the defence efforts of their country, like in Prague during the Swedish siege at the end of the Thirty Years War. But this was usually in supporting roles, building fortifications and putting out fires, rather than as armed soldiers. [3] The *Hofkriegsrat* (the Court's War Council, forerunner of the War Ministry and the highest military authority in the Monarchy) considered Jewish military service completely out of question as late as 1787.[4]

Furthermore, in the seventeenth and eighteenth centuries, Jews were usually distrusted and regarded as potential spies for the Holy Roman Empire's foes, be they Protestant, Turkish, Prussian or French. Not that this accusation was at all new: already in 1420 the expulsion of Jews from Austria had been motivated by accusations that they had collaborated with the Hussites and supplied them with arms.[5] In the eighteenth century, the indexes to the files of the War Council contain numerous references to Jews suspected of spying. As a consequence, Jews were forbidden to settle within Imperial fortresses, for example.[6] As late as 1744, Maria Theresa had ordered all Jews to leave Prague as a punishment for their alleged collaboration with the Prussians during the Second Silesian War (1744/45).[7] Wherever possible, Christian merchants were to be preferred to Jewish ones in supplying troops. As this policy was mentioned in the War Council's files several times a year throughout the eighteenth century, one might assume that the War Council was not too successful in its efforts. We have to remember that Jews had been associated with the military as contractors even before the late eighteenth century. Samuel Oppenheimer (1630-1703) and Samson Wertheimer (1658-1724) were perhaps the best-known among them.

They financed the Emperor's wars and supplied the armies of Prince Eugene of Savoy during the wars against the French and the Ottoman Empire.[8]

One should always keep in mind, however, that all restrictions cited above applied only to individuals of Jewish faith. Converted Jews were perfectly acceptable to serve under the Imperial banner. Baptised Jews were even able to reach commissioned rank.[9] A rather well-known soldier of Jewish background was a gifted young corporal by the name of Joseph Wiener. Wiener had been baptised at an early age and served with the well-known Infantry Regiment "Hoch- und Deutschmeister" from 1749 to 1754. [10] However, he left the military early, which deprived the army of a promising noncommissioned officer but provided the civil administration with a future minister and one of the most important reformers of the Austrian legal system. He became better known by his enobled name "von Sonnenfels".

THE INTRODUCTION OF MILITARY SERVICE FOR JEWS

The Reasons for Jewish Military Service

There were several reasons why the question of Jewish military service arose in the late 1780s. One of the most important was certainly the idea of toleration and enlightenment usually associated with the reign of Joseph II.[11] The granting of certain civil rights was bound to lead to the issue of obligations like military service as well. At the same time, the administration viewed military service a good way to divert Jews from their traditional way of life (''cheating and robbery'', as the Chancellory put it) and ''turn them into useful members of the State.''[12] Interestingly, the Chancellory combined enlightened ideas with old anti-Semitic stereotypes. Already in earlier regulations, Joseph II. and his Chancellory had tried to create additional employment opportunities for Jews in order to bring them away from ''their traditional lifestyle of usury and cheating''. An anonymous author demanded in 1781 to induct Jews into the armed forces ''so that they would stop being a special group, a state within the state''. All this was not meant to put them on an equal basis with Christians: what Joseph II. and his reformers had in mind was ''toleration'' only, not emancipation. A document from 1788 stated the aim: ''to turn the Jews from Galicia into a useful class of humans and to reduce their number.''[13]

Secondly, in the 1770s, the previous system of voluntary enlistment of mercenaries was replaced by a kind of conscription. This was part of a profound change in the organization of the Habsburg armed forces. Until the mid-eighteenth century, every regiment was a highly individualistic body, with its own regulations, drill, and even uniforms. The first general infantry regulations were issued in 1737. Thereafter, and especially during the reign of Maria Theresa (1740-1780), the Habsburg armed forces were turned into a centralized army, with standardized uniforms, drill and regulations. At the same time, the control of the Estates (the representatives of the nobility and the high clergy) over the military forces was practically eliminated. The soldier's lot was improved and strong emphasis was placed on the common soldier's self-esteem. The majority of the soldiers enlisted voluntarily, but the living conditions of the other ranks were very harsh and the desertion rate high. In 1740, during a regiment's march from Austria to Belgium (at that time the Austrian Netherlands), no less than 13 per cent of the soldiers deserted.[14] This was partly because service was (in theory at least) a lifelong affair.

Given these conditions, Maria Theresa and her son Joseph II., in their efforts to reorganize the army and raise its efficiency, introduced a less expensive recruiting system. Given the growing size of the armies, hiring mercenaries became increasingly difficult and expensive. Furthermore, the Austrian Wars of Succession after 1740 had reduced the possibilities of recruiting soldiers in the Roman-German Empire, the *Reich,* outside the Habsburg provinces. Until then, this *Reichswerbung* had been an important source of recruits. In 1766, the regiments were assigned permanent garrisons and districts for recruitment. Five years later, recruitment by voluntary enlistment was replaced by "conscription" on the Prussian model, i.e. the inductment of soldiers. Only Hungary and the Tyrol retained voluntary enlistment. The whole male population was registered and, according to the number of troops required, the local authorities had to provide a certain number of recruits each year, whether they were volunteers or not. This "conscription" was not comparable to obligatory national service in the modern sense. The upper classes (the nobility, clergy, physicians, lawyers, teachers etc.), house owners and part of the peasants were exempted; only the lower classes and "other lazy people" had to serve. As military service was usually a lifelong affair (only foreigners could join the army for a limited time), the number of soldiers inducted was rather small. The selection of the potential recruits was the duty of the local authorities and / or the nobility, who regarded conscription as a godsent opportunity to get rid of vagabonds, drunkards and the like, or presented even individuals who were physically unfit for service.[15]

Jews were exempted from conscription at first. Just a few years beforehand, Maria Theresa had stated that it was out of question to admit Jews into the army. They had to pay a special tax of 50 florins instead which was the equivalent of the average sum necessary to hire a soldier on what we might term the "free market" in the *Reich*. It was soon suggested, however, to extend enlistment to Jews as well in order to distribute the burden of military service more evenly.[16]

This question became more important in the 1770s. Between 1769 and 1775, Austria occupied the former Polish territories of Galicia and Lodomeria as well as the previously Turkish Bukowina (now Soviet Moldavia). As a large number of Jews lived in these provinces (some 184,448 in 1784, compared to 69,586 in the Austrian provinces and about 100,000 in Hungary), the importance of Jewish military service rose as soon as the system of conscription was extended to these territories. Furthermore, military service was seen as an opportunity to "Germanize" the Galician Jews, which was one of the major aims of the civilian administration.[17]

It has been suggested that the lack of manpower during the ill fated Austro-Turkish War of 1788-91 was one of the causes for Jewish enlistment into the Austrian army; but this was not the main reason. For one thing, the problem of Jewish military service arose before the outbreak of hostilities. In addition, the military strongly opposed the idea of inducting Jews. Enlistment of Jews into the army was a purely civilian idea, proposed by the more enlightened members of the *Vereinigte Böhmisch-Österreichische Hofkanzlei* (the Chancellory or Home Office for the Austrian and Bohemian parts of the Habsburg territories). On the contrary, the War Council pleaded several times to leave matters as they were, at least until the end of the war. The War Council argued (in vain) that the army had a war at their hands and enough problems without recruiting Jews![18]

The First Attempt: 1785

The Chancellory first proposed enrolling Jews as waggoners and drivers in the newly created *Militär-Verpflegs-Fuhrwesens-Corps* (army supply / transport corps) in 1785. This proposition was immediately rejected by the War Council: Jews could not serve in the supply corps because this was a regular army branch with its own officers and uniforms.[19] There would be no problem, however, in hiring civilian Jewish waggoners on a contractual basis, and we can assume that this was done even before that date. After all, the army had no transportation corps of its own until the 1770s. Waggons and teams were hired together with their civilian drivers on a contractual basis when needed.

The creation of the *Fuhrwesens-Corps* as a corps of its own in April 1776 (a similar unit had already existed from 1771-74, but had then been dissolved) was a consequence of a more centralized management of the armed forces. In peacetime the supply corps consisted at first of four companies only, commanded by a lieutenant-colonel and totalling 821 men and 448 horses. But the new branch grew rapidly: in the Turkish War of 1788 it totaled altogether 7,937 men, 14,581 horses and 14,310 oxen which drew the 7,112 waggons needed to supply an army of nearly 300,000 men. Not all of the men listed in 1788 were regulars of the supply corps, but the considerable expansion of the *Fuhrwesens-Corps* is evident nonetheless. Supplying an army was a cumbersome affair.

Jewish military service characteristically commenced in the supply corps, not in one of the fighting branches. As Jews had not been allowed to carry arms for centuries but had usually been associated with commerce and transportation, it appeared only logical to induct them into the transportation and supply branch of the army. By its very nature and despite its vital importance, the supply corps carried less prestige than the other service branches. In 1797 Lieutenant-General (later Field Marshal) Baron Josef Alvinczy de Borberek complained that the supply corps was "the most important, expensive, yet necessary evil" in the army, and the soldiers should stop to consider it the least respectable part of the army.[20]

The War Council had succeeded averting the enlistment of Jewish soldiers in 1785. Even in July 1787, just a few months before the final decision on Jewish enlistment, a Jew who volunteered for military service was rejected by the War Council.[21]

Introduction of Jewish Military Service: 1788/89

A new initiative to induct Jews into the army supply corps was taken in December 1787 by the Chancellory upon a proposal by the governor of Galicia, Count Joseph Brigido. Brigido claimed that by inducting Jews into the army many of them would be brought "away from their idleness" while at the same time this step might cure the War Council's bias. Without contacting the War Council, Joseph II. decreed on February 18, 1788, that Jews were to be enlisted as drivers in the army supply corps and as auxiliary personnel in the artillery, and to start this practice in the Turkish War which had just begun.[22] Although at first only the Jews in Galicia were mentioned, on June 4, 1788, Joseph extended this decree to all Habsburg territories.[23]

Unlike three years earlier, the War Council's protests were to no avail in 1788. Its objections were mainly based on Jewish religious obligations, such as kosher food or the prohibition of work on the Sabbath, which appeared nearly impossible to observe in the military. The Chancellory rather cynically rejected this reasoning: according to the Old Testament, Jews had fought quite heroically in Biblical times while closely observing their religious obligations and thus appeared well-qualified for military service. As for work on the Sabbath and kosher food, the Chancellory considered them purely military matters and certainly did not want to interfere with the decisions of the military authorities. [24] The War Council fumed, but stood no chance. As late as 1790, in a futile attempt to reverse Joseph's decision of 1788, the War Council pointed to the Jewish religious laws as an obstacle to Jewish military service.[25]

The Chancellory's claim to the martial qualities of Jews in Biblical times did little to soothe the War Council's opposition. After all, the behaviour of Jews in the age of King David said little about Jewish qualification for "modern" warfare in the late eighteenth century.

Indeed, the War Council's reasoning was in part comparable to the attitudes adopted by European colonial powers with regard to the "natives" or "savages" who were generally thought unfit for modern warfare. Some of them, however, were considered "martial races" (like the Sikhs or Gurkhas in India or the Zulu in Southern Africa) and thus appeared better qualified than others to serve in the colonial armies. This prejudiced attitude was, in fact, not the only similarity between the Austrians in Galicia and colonial powers elsewhere.

In 1789, the obligatory military service for Jews was included in the new *Judenordnung* (Jewish Regulation) for Galicia. This was the most favourable of the eight edicts of toleration for Jews issued between 1781 and 1789 and which was probably intended to serve as a model for a new Jewish policy.[26] In addition to service in the supply corps, Jews who volunteered for service in the infantry were allowed to do so. Although the *Judenordnung* applied only to Galicia, this clause was extended to Jews in all Habsburg territories.[27] Again, the military authorities were helpless against the reformist zeal of the Chancellory. The idea to allow Jews to serve in a fighting branch had already been discussed in 1788, but had been rejected by the War Council.[28] In the same year, 1789, a special oath for Jewish soldiers was introduced.[29]

JEWISH ATTITUDES TOWARDS MILITARY SERVICE

Jewish reaction to the new laws was far from unanimous. Many Jews, especially the more "enlightened" ones from the western Habsburg provinces, praised the new laws as another opportunity to show their mettle and as one further step into gentile society.[30] Rabbi Ezechiel Landau from Prague presented the first Jewish recruits with pipes bearing the inscription: "Be faithful to God and Emperor!" He encouraged them to be good soldiers but observe the religious laws.[31] Others, however, opposed military service. This sentiment was especially strong among the deeply religious and more orthodox communities in the East. They perceived the very aspirations of western Jews - integration into gentile society - as a danger. For them, military service represented a threat to Jewish tradition and unity. The difficulties of observing Jewish religious obligations in the military were often cited in this context.[32] But it is very difficult to generalize in this matter. On the one hand, even some eastern communities favoured Jewish military service. On the other hand, many of the "enlightened" western upper-class Jews were *Honoratioren* or *Tolerierte*, i. e. belonged to the upper classes and were thus exempted from obligatory military service. For them, it was rather easy to advocate Jewish military service.

An additional problem arose in this context from the fact that the Austrian army was not only a Christian army, as opposed to the Turks who were regarded as barbarous pagans at the time, but more specifically a Roman-Catholic army. Religion and church service should strenghten the idea of belonging to one army and serving one sovereign. Every soldier should be motivated by the knowledge that by serving in the Austrian army he served God and Emperor. But one should not overestimate this factor. Especially in the nineteenth century, most soldiers adopted a *laissez-faire* attitude towards religion. As Colonel Theodor Ritter von Zeynek wrote in his memoirs, most soldiers cared little whether a comrade was Catholic, Protestant or of another denomination. At church parades and field masses, the precise execution of the salute was more important than the spiritual content. The traditional piety of the Habsburg family was respected as a peculiarity of the dynasty without major consequences for the army.[33]

We can get some idea about the Jews' reactions towards military service from a novel written by the famous author Karl Emil Franzos (1848-1904) in 1880. In his book *Moschko von Parma* he described the life of a Galician Jew by the name of Moschko Veilchenduft serving with the Infantry Regiment Nr. 24 "Carl Ludwig, Herzog von Parma" (hence the title) in Radetzky's Italian campaigns of 1848/49. Franzos shows vividly how, even in the nineteenth century, a conscripted Jew was mourned by the *Stedtl* (the Galician small town) as if he had died; if he were to enlist voluntarily as a *Sellner* (*Söldner* = mercenary soldier) this was condemned as outright treason. We should remember, however, that Franzos, himself a Jew from Galicia, viewed his home province with a mixture of reverence and contempt, describing the Galician Jews as being "pious, lazy and cowardly".

The Possibility of Redemption

Many Jewish communities even sent petitions to the authorities, offering considerable sums of money to avoid induction of Jews.[34] This practice was allowed only after Joseph's death in 1790, when Leopold II., his successor, permitted Jewish conscripts to pay a special redemption fee of 30 florins in lieu of military service. (30 florins were equivalent to the yearly income of a waggon driver or a servant's pay in two years.) Only in Hungary was Jewish military service suspended altogether, following a proposal by the War Council of April 12, 1790.[35] Later the sum necessary to avoid service was raised from 30 to 150 florins. The money was to be used to recruit mercenaries on a scale of two foreigners for one Jew, thus relieving one Christian recruit from his military obligations at the same time. While the system worked reasonably well for the first years - in 1793, for example, out of 300 Jewish recruits from Galicia, only three were not "paid off" in cash[36] - the French Revolutionary and Napoleonic Wars changed this very quickly. Many Christians complained about the "Jewish privilege" to pay rather than to serve in person.[37] The so-called *Reluizion* or *Reluierung*, i. e. the payment of money for a draft exemption, was made more difficult. In 1793 it became obligatory that the potential recruit himself paid the redemption fee, not his community, as had often been the case. Finally *Reluierung* was abolished altogether in 1806.[38] In the State Council, Baron Friedrich Eger had argued against redemption as early as 1792 because "nothing would be more comfortable than being a Jew.... leaving the most arduous and dangerous duties as a citizen to the Christians alone."[39] During the Napoleonic Wars, in 1799 / 1800, conscription was reintroduced in Hungary, too, where it had been suspended altogether after Joseph's death in 1790.[40] However, Jewish communities pleaded well into the 1830s to be exempted from military service in exchange for a certain amount of money. *Reluierung* was occasionaly reintroduced during the relatively calm years of the *Biedermeier* period (from 1815). From 1828 on, not only Jews were allowed to "buy" a replacement, but Christian recruits as well.[41]

Austria was, in fact, one of the first countries to recruit Jewish soldiers in modern times. The Anglo-Saxon world and the Netherlands were an exception, but even in Great Britain, Jews could become officers only after 1828. Most European countries inducted Jews into their armed forces later than the Austrians. Although in 1787 several Prussian Jews petitioned their king to allow Jews to serve in the army, the Prussian Supreme War Council *(Oberkriegs-kollegium)* decided in 1790 that Jews could not be usefully employed in the military. Only in 1812 were Jews included in the conscription system, although some restrictions existed until 1845. In France, Jewish military service was introduced after the Revolution in 1791. In Poland, Jews had been exempted from military service in return for the payment of a special tax (as was usually the case). A similar system was employed in Russia until 1827, although it still took some decades for Jewish recruits to be treated on more or less the same terms as their Christian conationals (some restrictions continued well into the twentieth century and in 1908 there was yet another attempt to abolish Jewish military service again). In the Italian Kingdom of Piemont-Sardinia Jews were allowed to serve in 1848, and in Romania, in 1876.[42]

Kosher Food and Duty on Sabbath

Among the main reasons for Jewish opposition to military service and also for the military's opposition to the inductment of Jews was the fact that the army made very few concessions to Jewish religious obligations. As this problem existed throughout the period concerned, we may leave the chronological order of events here and include some later sources as well.

Orthodox Jewish Sabbath and holiday observances precluded work and travel, thus being far more restrictive than the Christian Sunday rules. In March 1788, the Chancellory had tried to minimize this problem: the Galician Jews, it maintained, objected only to voluntary labour whereas work which they were ordered to perform on Sabbath was not seen as forbidden - so there should be no problem when Jewish soldiers were ordered to perform their duty on Saturdays.[43] Answering a question from the War Council, Emperor Joseph II. stated in April 1788 that Jewish soldiers were to be treated like their Christian comrades and had to perform all duties. As the only exception they were allowed to cook in their own small groups.[44] The Galician Regulation of 1789 had ordered that Jewish soldiers were only to be employed on Sabbath if need arose and only for duties which Christian soldiers had to perform on Sundays, too. In a memorandum submitted by a group of Austrian Jews in 1790, rabbinical arguments were given in favour of performing military service on the Sabbath in the service of the country.[45] In 1792, it was decided that the Jews' religious obligations were not to be hindered by their military duties.[46]

Generally, in times of peace Jewish soldiers had to perform duty on Sabbath but were not called up for hard labour. Apart from doing guard duty (something Christian soldiers had to perform on Sundays as well), they were often made to mend their uniforms and clean the barracks. Visits to the nearest synagogue were permitted as far as possible.[47] In 1888, a Jewish soldier's petition to be relieved of all duties on Sabbath was turned down.[48] Incidentally, it would be wrong to assume that Christian soldiers enjoyed free Sundays: only at the beginning of the twentieth century were exercises and lectures on Sundays forbidden. The other ranks had to attend church service at least twice a month.[49] In times of war, of course, the realities of warfare paid little respect to religious customs. An old Jewish noncommissioned officer who had served with the Austro-Hungarian army throughout the First World War only laughed when asked about duty on Sabbath, although he came from a deeply religious family.[50]

The strict Jewish dietary laws not only required meat to be ritually slaughtered but prepared in separate utensils and kitchens as well. Jewish soldiers were allowed to cook their special food in groups of four to seven in the early years. This was comparatively easy because in peacetime all soldiers were given a certain quantity of bread (900 grams) a day and had to buy their other food themselves. That Jews were permitted to form their own *Kameradschaften* (groups of four to seven soldiers living and cooking together) was one of the privileges Joseph II. had granted them when Jewish enlistment began.[51] However, this proved impossible for Jews who had volunteered to serve in the infantry.[52] After the introduction of "centralized" forms of preparing food on company or battalion level in the nineteenth century, Jews had to partake in the common mess, although in theory the various religious obligations were to be respected.[53] Jews were allowed to buy their own food for Jewish holidays and have the money refunded, but they could rarely do so during the week. It appears to have been common practice that Orthodox Jews did not partake in ordinary meals but were supplied with kosher food by Jewish families living nearby.[54] Obviously this was far from ideal, but for economic and practical reasons it was impossible to cook separately for Jewish soldiers. In addition, the army authorities had their doubts about the nutritional value of kosher food. In 1874 the Jewish community at L'vov (Lemberg) complained that the religious needs of Jewish soldiers were insufficiently cared for. In response, the commander of the 58th Infantry Regiment's reserve contingent at Stanislav (Stanislau) stated that kosher food contained only a very small portion of meat (which, by the way, says something about Jewish living conditions in the East) - and sufficient quantities of meat (usually beef) were considered necessary for good army meals.[55] David Neumann, who took part in the First World War, recounted how he lived on army-issued jam and cheese for a year before finally turning to eating non-kosher meat in order to survive. Even today, outside the Israel Defence Forces, only the South African Defence Force provides full kosher facilities for soldiers of Jewish faith.

Perhaps here is the point to note that the War Council had originally proposed in 1788 to form separate companies for Jewish soldiers. This would have enabled the military administration to cater more effectively to special Jewish needs.[56] But this proposition had been rejected as the Chancellory's policy was certainly not to encourage Jewish religious customs. Thus, Orthodox Jewish recruits were often forced to follow the advice of the Prague Rabbi Ezechiel Landau who had told the first Jewish soldiers from Prague to refrain from eating meat, until they could buy food from Jews, and to live on cheese and butter instead.[57] While this might have been possible in Galicia and Bohemia, it was nearly impossible to buy kosher food in areas were few Jews lived.

Other Jewish Religious Obligations

There were other problems originating in Jewish religious laws, too. In 1788 new uniforms had to be made for Jewish recruits from Galicia who refused to wear garments sewed and lined with flax. According to the Mishna's Law of Diverse Kinds, "wool and linen alone are forbidden" in clothes worn by Jews. Therefore, flax had to be replaced by hemp.[58]

In our sources there is only scarce mention of Jewish hairstyle and the wearing of beards. Jews had to have full beards until the second half of the eighteenth century - and in the East continued to do so even after these discriminatory measures had been abolished. Jewish hairstyle thus differed from the appearance of a soldier: in the army, other ranks had to wear moustaches in the late eighteenth century while officers, being gentlemen, were clean-shaven. The display of facial hair was considered immoral at the time, according to Schopenhauer, the famous philosopher. Only during the Napoleonic Wars did moustaches become fashionable for officers as well, and in 1805 the wearing of the queue (a pigtail) was abolished. After 1815, clean-shaven faces were *de rigeur* occasionally, until from 1848 soldiers and officers alike had to wear moustaches (at first, black moustaches for all, regardless of the soldiers' natural hair colour). Full beards were tolerated as long as they did not obscure the insignia of rank worn on the collar, but they were certainly not encouraged.[59] There is no indication that any exceptions from these rules were made for Jewish soldiers, although early cartoonists mockingly depicted Jewish recruits with full beards in the 1780s. The contrary appears to have been true. In 1805, the War Council ordered that Jewish soldiers on leave were forbidden to wear Jewish clothes or Jewish hairstyle.[60] In the novel *Moschko von Parma* Franzos mentioned that the Jewish recruits' side curls were cut off upon enlistment - the haircut obviously being considered a symbol of the recruit's new status.

As a matter of fact, many officers viewed their Jewish soldiers' religious customs with some suspicion, and it depended much upon the commanding officer's tact and understanding if a Jewish soldier was spared pangs of conscience - or humiliation by his Christian comrades or superiors. We should remember that a soldier's daily life in the Old Monarchy showed very little of the easygoing *Gemütlichkeit* so often associated with Austria. Of course, conditions varied greatly between different regiments and harassment from malicious comrades was not confined to Jewish recruits either.[61]

Jewish soldiers were sometimes rather well educated, and their "unsoldierly" manner became the object of many anecdotes - some of them funny, some of them offensive. Jews appear to have been under a certain pressure to show their mettle and often chose to serve in the line rather than volunteer for some desk job for which they would have been qualified, in order to avoid being labelled as "typical Jewish cowards". Normally, an educated recruit from the West had less trouble adapting to service life than a tradition-minded Jew from Galicia. For the latter, the religious question was only part of the "culture-shock" he probably encountered when transferred from his home province, condescendingly called "Half-Asia" by Karl Emil Franzos, into a modern nineteenth century army. This experience was in no way peculiar to Jewish recruits, of course, and applied equally well to soldiers of other religions coming from less developed provinces of the Monarchy.

It should be remembered that the Austro-Hungarian army found itself confronted with similar problems a century later, when Moslem soldiers were recruited from the provinces of Bosnia and Herzegovina following their occupation in 1878. In this case, however, the obstacles, though comparable, proved easier to overcome. Not only were Moslem religious obligations less strict and cumbersome than Jewish ones, but Moslem soldiers were concentrated into one infantry regiment (later expanded to four infantry regiments and eight rifle battalions). Contrary to common belief, however, these units were not made up from Moslem soldiers only (In 1910 there were 32.6 per cent Moslems, 40 per cent Greek-Orthodox, 25.9 per cent Roman-Catholic and 0.7 per cent Jews among the other ranks. Christian and Jewish soldiers in the Bosnian-Herzegovinian units all wore the typical fez headdress in lieu of the shako or cap). In addition, the general attitude was more tolerant in the 1880s than it had been a century earlier - and the Islamic soldier's warrior tradition was more readily appreciated because Austria had been fighting the Ottoman armies for more than three hundred years.

JEWS IN THE MILITARY, 1788 - 1866

The Napoleonic Wars, 1792 - 1815

The period of the Napoleonic Wars not only brought about obligatory Jewish enlistment without the possibility of paying a redemption fee; it also extended Jewish service to all army branches.[62] During the Napoleonic Wars, an estimated total of 36,200 Jews served in the army (35,000 from the Austrian provinces, mainly Bohemia and Galicia, and only 1,200 from Hungary). The quota of Jewish recruits was determined according to the proportion of the Jewish male population to the Christian one. In 1803, for example, the size of the annual contingent to be conscripted was established at 15 per cent of the army strength, or 24,944 men. Of these, 981½ (sic!) should be Jews. The Jews of Bohemia were to raise 225, Moravia and Silesia 157, the city of Vienna 6½, Görz (Goricia) and Gradiska 3, and Galicia, 590 recruits.[63] General distrust of Jews was hard to overcome, however. Jewish soldiers on leave should, if possible, be kept away from their home district in order to reduce the risk of desertion.[64] As late as 1818, a note by the War Council suggested that Jewish recruits were to be restricted to the infantry (and, of course, the supply corps) because they were less suited to serve in the artillery or cavalry.[65] Throughout the nineteenth century the number of Jewish soldiers remained very small in the cavalry and élite *Jäger* units (rifles or light infantry). Apart from the supply corps, the number of Jewish soldiers was comparatively high in the medical and administrative branches. The ambivalent attitude of the military authorities towards the Jews was demonstrated when it came to the burial of Jewish soldiers. Wherever possible, deceased Jews were to be handed over to the local Jewish community for burial. The War Council ruled in 1797 that deceased Jewish soldiers were to be interred outside the camp, far from their Christian comrades, if there was no Jewish community nearby. Sick Jews in military hospitals were allowed to be visited by a rabbi. In 1801, the Trieste Jewish community was allowed the privilege of housing up to twelve sick soldiers in their own Jewish hospital, but had to vouch that the Jewish soldiers would not use this opportunity to desert.[66]

In order to spare the peasant population, it was decided to form a "Jewish transportation unit" in Galicia in 1806, because the farmers suffered when their cattle were requisitioned to help with military transport. A special transportation corps was formed from Jewish civilian waggoners and merchants for additional agricultural transports. From the documents it is not clear for how long this institution existed.[67]

In those first years of the nineteenth century, the social structure in Austria changed considerably while the patriotic sentiments raised by the "Wars of Liberation" against the French created a new spirit of national unity shared by many Jews, especially in the West. The patriotic textbooks written by Herz Homberg (1749-1841): *Imre schepher* ("Lovely Words"; 1802) and *Bne-Zion* ("A religious and moral textbook for the youth of Jewish nationality"; Vienna 1812) are excellent examples. Jewish soldiers became a fact of life in the Habsburg armies. In 1815, Jewish soldiers were allowed to marry under the same conditions as their Christian comrades. Before that date, Jews were allowed to marry only in very few cases, according to a decision from 1799. It had been decided that the wives of Jewish conscripts were not allowed to follow the army but were sent to their home districts instead, whereas unmarried Jewish soldiers should not be allowed to marry at all. In 1815, these discriminating measures were eliminated.[68] In 1811, Rabbi Moises Landau from Zmigrod in Galicia was awarded the Civilian Golden Medal of Honour for his patriotism. Landau had cared for Jewish recruits from Galicia and in return had been mistreated by Polish insurgents.[69] At the same time, the reforms introduced by Archduke Charles brought many changes for the soldier. One of the most drastic was the abolition of lifelong military service in 1802 in favour of a 10- to 14-year period of duty. It might be added at this point that military service was reduced to eight years in 1845, and then to seven years in 1858.[70]

In those years the first Jewish officers were commissioned into the Austrian army. Already in the late 1780s it had been discussed whether Christian soldiers could serve under Jewish superiors. At first, ths idea was rejected as impossible. Thus, in 1789, an application by Moyses Zier from Prague to be commissioned had been turned down. Zier had served before in the East Indies (possibly with the Honourable East Indian Company) where he had reached the rank of ensign. Likewise, in 1795 and 1799 petitions by Jewish physicians to become medical officers had been answered in the negative (although in 1799 it was stated that the applicants' religion was not to be given as the official reason for the negative reply).[71] In response to a letter from a Jewish teacher from Prague in 1815, however, the War Council stated that, according to the humane principles observed by the Austrian government, religion was not allowed to hinder an officer's career. The War Council added that several Jewish officers already served in the Austrian army.[72] So far it has not been possible to trace the exact date when the first Jewish officer was commissioned in the Austrian army. Several names have been cited in this context, but we have not been able to prove whether the officers in question were, in fact, baptised or not, because at that time a soldier's religion was not listed in his personal files. One of the first Jewish officers might have been Maximilian Arnstein (1787-1813), who joined the army prior to the campaign of 1805, when he was taken prisoner of war. In February 1809, he was promoted ensign in the Infantry Regiment Nr. 63. On October 26, 1809, Arnstein was transferred to the Hussar Regiment Nr. 9, and in October 1810, he was commissioned first lieutenant in the Hussar Regiment Nr. 4 (Prinz Hessen-Homburg). He was killed in action at Colmar on 24 December 1813, and, according to one source, was given a Jewish funeral.[73]

The Period from 1815 to 1866

Between the Napoleonic Wars and the Revolution of 1848, no definite "pattern" regarding the status of Jews in the military is discernible. This is not surprising, considering the state of the armed forces during that time, a period of peace and neglect after more than two decades of war.[74] On the one hand, discriminating measures continued. In 1822, for example, an application by two Jewish corporals for transfer to the Imperial Guard was rejected because the authorities wanted to avoid differences within this unit which might have resulted from the transfer of Jews, although the personal war record of the two soldiers was appreciated.[75] On the other hand, emancipation showed results. Jews were admitted to the military-medical academy in Vienna, the well-known "Josephinum".[76] When the Infantry Regiment Nr. 60 tried to refuse a Jewish doctor in 1825, it was ordered to accept him immediately. In addition, the commanding officer was made responsible for reducing anti-Semitic bias within the regiment.[77] In 1844, Dr. Simon Hirsch became regimental doctor of the 4th Lancer Regiment, a position equal to a senior doctor at a civilian hospital, which was still barred to Jews at that time.[78]

However, logic is rarely found among an administration's strong sides. In 1838 a Jewish first lieutenant by the name of Moyses Almoslino who lived in Semlin (in the Slavonian Military Border, near Belgrade) was prevented from becoming a captain in the territorial reserve (the *Landwehr)* even though his fellow officers and men supported his nomination. The War Council's reasoning behind this decision was remarkable taking into account the fact that at the same time Jews could reach field rank in the regular army. The territorial reserve recruited its officers among former professional officers or - usually - among the respected citizens of a district. However, until the Constitution of 1867, Jews were not allowed to settle permanently in a number of provinces and districts. They were usually allowed to live there on special permits - but not as "citizens" in the legal sense of the word, even though they were accepted as such by their fellow citizens. This was also the case with our unlucky lieutenant who had joined the territorial reserve and had been commissioned without any problems. Only when his turn for promotion to captain came, did the authorities have second thoughts, and upon writing to the War Council, learned to their surprise that it had been illegal to make him a lieutenant in the first place - "despite his otherwise good conduct"![79]

During the wars of 1848/49, Jews served with the Austrian army as well as with the Hungarian national army, the *Honvéd,* in the latter's "lawful revolution" against centralistic Austrian rule over Hungary. Due partly to the political alliance between Magyar liberals and Jewish reformers in the 1840s, many Hungarian Jews supported the Magyars' national ambitions through massive enlistment and financial contributions to the war effort.[80] An example was Dr. Jozsef Rosenfeld (later Rozsay, born 1815), a Jewish physician from German-speaking Western Hungary, who was chief physician in a *Honvéd* military hospital. Lipot Popper, who later played a major role in the export of Central European lumber (supplying, among other projects, the material for the construction of the Suez Canal), fought as a lieutenant for Kossuth in 1849. Reputedly, some eleven per cent of the soldiers in the *Honvéd* were Jews, more than three times their percentage within the population as a whole.[81]

In Austria, many Jews joined the new "democratic" *Nationalgarde* (National Guards) which fought against the Emperor's army. In Werner Just's "Song of the National Guards" the liberal attitudes were praised: "Christian, Turk or Jew / are welcome in our midst / in all of us is human blood / and we all want to be free!"[82] The high number of Jews in the *Nationalgarde* gave rise to various anti-Semitic cartoons, however, clearly showing that these liberal attitudes were not shared by everybody; there even were anti-Semitic riots.[83]

Heinrich Oppenheimer (born 1829) had witnessed the Revolution of 1848 as a student and soon joined the "Academic Legion" where he became captain of the "Mobile Guards". After the revolutionary or democratic forces were defeated, he had to hide. What better place to flee to than the army? In May 1849 he joined the Infantry Regiment Nr. 2 as a private and was commissioned in the same year. When his superior suggested that he should convert in order to speed up promotion, Oppenheimer declined. Oppenheimer later took part in the campaigns of 1859 and 1866 in Italy and in the Bosnian campaign of 1878. He retired as a major.[84]

Also in the war of 1848/49, Carl Straß (1828 or 1834-1887) joined the army in December 1848 - if the date of birth given in some of his personal files is correct, at an age of barely 15 years. In April 1849, he was already commissioned second lieutenant with the Dragoon Regiment Nr. 2, and in December 1849 he became first lieutenant in the Hussar Regiment Nr. 2. The explanation for this remarkable career is to be found in the fact that he served not with his unit but in the office of Field Marshal Prince Alfred Windisch-Grätz - who probably helped a bit. After the marshal's removal, Straß' career slowed down. He was promoted to captain (second class) in 1854 and captain (first class) in 1859, but left active service in 1861. In 1866, he was given the honourary rank of major.[85]

The years following the Wars of 1848 / 49 saw the reestablishment of an authoritarian government under the young Emperor Francis Joseph I. Given the prominent involvement of Jews in the revolutionary forces, it was perhaps not too surprising that Jews were often suspected of dangerous democratic sympathies - and were therefore regarded as unreliable. This attitude might have influenced the military authorities as well. In 1850, it was decided that Jews were to be excluded from the military auditoriate (the army's own judicial branch) as well as from military schools and academies. Officially, this was "for religious reasons", but the real motive was obviously fear of "Jewish influence" and "corruption".[86] When in 1853 a new law was passed that former noncommissioned officers were to be given preferential treatment in the selection of low-ranking clerks in the civilian administration, Jews were excluded from the financial and judicial branches because they were seen as potential candidates for bribery. Likewise, in 1865, Archduke Albrecht complained that Jews were employed in increasing numbers by military medical institutions: "It appears risky to leave not only the supply but also the preparation of food to the Jews. Although so far there has been no complaint,... given the well-known characteristics of this race and the corruption in Galicia it is probable that in a few years there will be additional cases of bribery and immorality."[87]

Over the years, the number of Jewish soldiers rose. In the wars of 1859, the number of Jews serving in the Austrian army was estimated at between 10,000 and 20,000 men, although some sources cite numbers as high as 30,000. In Vienna, an "Aid-Committee for Soldiers of Jewish Religion" was formed which cared for Jewish soldiers in need and their relatives. On January 19, 1867, the War Ministry expressed its thanks and respect for this committee's work.[88] According to one source, in 1859 no less than 157 Jewish officers served in the Austrian army - a number which most probably included medical officers and officials.[89] In 1866, 200 Jewish officers were said to have served with the Austrian army, while among the 4,500 volunteers from Vienna were 168 Jews.[90] Still, the idea of Jewish officers was apparently not fully accepted. Alexander (later Major-General and Ritter von) Eiss (1832-1921), a volunteer, cadet and lieutnant (1855) with the Austrian army in Italy, reputedly had to fight no less than 34 duels because of insults against his religion. While we have no proof of this assertion, his personal documents show that in 1861 - already a first lieutenant - he was punished for not leading his soldiers to church, as ordered. The conclusion that his commanding officer chose him - a Jew - on purpose for this church detail is probably not unfounded.[91]

THE PERIOD OF COMPULSORY MILITARY SERVICE: 1868 - 1918

After the defeats of 1859 and 1866 (Solferino and Königgrätz [Sadowa]), a thorough reorganization of the Habsburg armed forces was more necessary than ever. At the same time, the new *Staatsgrundgesetz* of 21 December 1867, Austria's "Bill of Rights", finally established full emancipation, granting civil rights to all religious groups. The new Army Law of 1868 took all this into account as well as the *Ausgleich* (Compromise) of 1867 between Austria and Hungary. With the *Ausgleich,* the Dual Monarchy of Austria-Hungary was created, united by the monarch (at the same time Emperor of Austria and King of Hungary) and a few common institutions. In the military field, the monarchy now had not one, but three armies: the regular (common) "Imperial and Royal" (I&R) Army (and the I&R Navy), the Imperial Austrian *Landwehr* and the Royal Hungarian *Honvéd*. Although both *Landwehr* and *Honvéd* were at first intended as territorial reserve forces, they soon became more or less regular forces although they still depended upon the common army for artillery and technical support.[92]

In order to raise the mass armies needed for modern warfare, compulsory military service without exceptions was introduced in 1868. The Prussian victory in 1866 had demonstrated the advantage of having a "nation in arms". For financial reasons, however, the yearly intakes were restricted: not all young Austrians actually served in the army. In 1868, the yearly intake had been limited at 95,000 men.

As a consequence of the introduction of universal military service, the number of Jewish recruits continued to rise. According to the census of 1869, 822,220 Jews lived in the Austrian part of the Dual Monarchy and 522,113 in Hungary (including Transsylvania and Croatia), constituting together some four percent of the entire population.[93] In 1872, the first year for which detailed information is available, the number of Jewish soldiers in the I&R Army was reported as 12,471 or 1.5 per cent.[94] During the following decades, the number of Jewish soldiers rose and in 1902 reached 59,784 or 3.9 per cent, thus approaching the general population percentage of a little more than 4.5 per cent. By 1911, however, the number of Jewish soldiers had declined to about 3 per cent. This might be explained in part by a slight Jewish decrease within the population from 4.8 per cent in 1890 to 4.6 per cent in 1910. Another factor could be that more Jewish recruits became candidate-officers in the reserve, which in turn would affect the statistics. The data given here include recruits and national servicemen as well as career noncommissioned officers and reservists. A comparatively high number of Jews served only one year in the line as so-called one-year volunteers (reserve-officer-candidates) in order to be commissioned as reserve-officers - in 1911 (the only year for which we have adequate data) these were 2,048 out of 46,064 Jewish other ranks.

It was commonly believed that the low number of Jewish recruits from the East had to do with attempts of evade the draft by hiding, fleeing the country or bribing the recruiting officials.[95] This was undoubtedly true in many cases - and complaints about it are to be found in abundance in the War Ministry's files. Karl Emil Franzos even wrote, undoubtedly exaggerating, that the Galician Jews "fought against the recruiting commissions like the Red Indians fought the Whites". In 1871, an average of 30.3 per cent of the Galician Jews called up (3,856 out of 12,693) failed to appear before the recruiting commission - in certain districts, the figure was even higher, reaching 64.6 per cent in the 80th Infantry's district.[96] In 1870, Colonel Josef Heinold, the commander of the Infantry Regiment Nr. 80, complained that the Jewish (as well as the Greek-Orthodox) birth register books were dubious and that "the so-called Cyruliks (medics) were professionals in creating artificial defects or increasing existing ones." Jewish communities collected money to bribe the recruiting officials while the civilian authorities all too often turned a blind eye.[97] Of course, the traditional low wages of officers and civil servants in Austria invited bribery. It is difficult to determine after more than 100 years to what extent these allegations were based on fact or to what extent they were just a perpetuation of traditional anti-Semitic bias. In any case, it was more a "Galician" than a "Jewish" problem. Attempts to evade military service were a common feature when conscription was first introduced in the late eighteenth century, but the introduction of obligatory military service and the reduction of service time from seven to three years in 1868/69 helped reduce this problem.[98] From 1868 to 1870, the number of Jewish recruits from Galicia rose from 198 to 805.[99]

The slight under-representation of Jews within the I&R Army is partly to be explained by reference to the social and cultural context in those provinces where most Jews lived. A Jewish author mentioned in this context the "deplorably low culture and low standard of fitness" to be found among the Galician Jews. Their Orthodox and deeply religious background did little to instill strong fighting spirit into young Jews, while the organized Jewish communities in Galicia tended to dissuade their youth from enlisting. Perhaps even more important were the appalling living conditions which resulted in a high percentage of young Jews being physically unfit for military service.[100] A most revealing statistic from 1910 shows that in Lower Austria, Moravia, Bohemia and Silesia some 0.6 to 0.8 per cent of the Jewish population served in the armed forces, while in Galicia and the Bukowina, this figure was as low as 0.4 and 0.3 per cent, respectively.[101] If we consider that no less than 74 per cent of Austria's ("Cisleithania's", as there was no official name for the Austrian half of the Dual Monarchy) and 43 per cent of the Dual Monarchy's Jews resided in Galicia and the Bukowina, the consequences are evident.

Similarly, while the numbers reported for Jewish sailors appear rather small at first sight - 0.9 per cent in 1885, rising to 1.6 per cent in 1898 and 1.7 per cent in 1911 - the Jewish population in the provinces where most sailors came from, Croatia and the Adriatic Coast (Küstenland), was even smaller, never exceeding 0.8 per cent.[102] But apparently the Jews living there were physically more fit (and, perhaps, more willing also) to serve in the armed forces than their brethren in the East.

The Distribution of Jews within the Army

When examining the number of Jewish soldiers in the various branches of the service, one notes immediately that Jews were over-represented in the medical corps and the administrative branches, while the contrary was true in the cavalry and élite rifles or light infantry *(Jäger)*. In the case of the rifle units, this was partly due to the fact that these regiments and battalions recruited most of their soldiers from provinces such as the Tyrol and Styria where few Jews lived, while the cavalry obviously preferred recruits with agricultural background and previous riding experience. In the line infantry, the number of Jews was slightly higher than the average, thus clearly discrediting myths that all Jews served with the *Train*, as the supply corps then was called. The tendency to induct Jews into administrative positions might be explained by the fact that it was easier to cater to Jewish religious obligations at a medical or administrative establishment than in a fighting division. Furthermore, their reputed linguistic abilities as well as their knowledge of German (the official language or *Dienstsprache* in the common army) made Jews an ideal choice for administrative positions.[103] It is said that Jewish non-commissioned officers were held in high esteem for their linguistic talents. Thus, it is not completely surprising that in 1886 out of 38 candidates at the noncommissioned officer school of the 5th Corps' Artillery-Regiment, no less than 26 were Jewish. When the artillery inspector, Archduke Wilhelm, raised objections, the responsible officers explained that the Jews could not only speak German, but were obviously better suited for education than the other soldiers (the 5th Corps recruited its soldiers mainly from northern Hungary / Slovakia).[104]

Generally speaking, although there certainly were exceptions (in 1893, 1903, 1904 and 1909 complaints about the maltreatment of Jewish soldiers reached the ministry[105]), Jewish soldiers in the Austro-Hungarian armed forces were subjected to less harassment and anti-Semitic bias than in most other armies - or in civilian society, for that matter. The War Ministry claimed in 1906 "that according to the laws of the Monarchy there are no restrictions regarding the entry of Jews into the army, be it as officers or as enlisted men."[106] In an article written in 1910, Moritz Frühling, a Jewish author, pointed out that "to the honour of the Austrian military administration it has to be stated that among all other departments it is the only one which shows a truly modern and liberal attitude towards the Jewish citizens. The Jews in Austria-Hungary shall always remain faithful to the spirit of this most noble and crystal clear War Department." Referring to the anti-Semitic movement in the 1880s, Emperor Francis Joseph said that he found it highly disgusting, considering the bravery shown by his Jewish soldiers in the campaigns of 1878 and 1882 (the occupation of Bosnia and Herzegovina and the Bosnian uprising): "More than 30,000 Jewish soldiers serve in my army. Many a smaller European state might be glad to have as many soldiers in its army altogether!"[107]

This praise of the military authorities appears remarkable if we remember the War Council's rather restrictive attitudes towards the Jews in the 1780s. In the first half of the nineteenth century, the military became more and more tolerant until, after 1867, it was indeed more liberal than most civilian authorities. By and large, this attitude persisted until the First World War.

JEWISH OFFICERS

In the post-1867 period we have to distinguish between officers serving permanently in the active army and those holding reserve commissions. Let us first discuss the career officers.

In 1897, the first year with adequate data, there were 178 Jewish officers in the common army, or 1.2 per cent of all officers.[108] This number may have possibly been even higher in the 1880s, the "high time" of Jewish emancipation and assimilation: as high as two per cent. In the years 1894-97, when only the total numbers of career and reserve officers together are available, the data show the same declining tendency as after 1897. Fifteen years later, in 1911, the number of Jewish officers had dropped to 109, or 0.6 per cent.

It is often said that all Jewish officers served with the *Train*. Actually, more than 80 per cent of Jewish career officers served in a fighting branch and some 65 to 70 per cent of all Jewish officers served in the infantry. They were adequately represented in other branches of service, too, but definitely under-represented in the cavalry and in the railway and telegraph (signals) regiment. Their complete absence from the latter is still a mystery, but might have been due to the small total number of officers in this regiment: just 148 in 1911. The small number of Jewish cavalry officers, however, was certainly due to the aristocratic character of the cavalry. In 1896, 58 per cent of all cavalry officers (and up to 75 per cent in some regiments) were noblemen, compared with an average figure of 22 per cent for the whole army (infantry 14 per cent, rifles 24 per cent, artillery 16 per cent).[109] Thus it is less surprising that between 1900 and 1903 there was only one Jewish officer in the entire cavalry (accounting for 0.05 per cent of all cavalry officers). Besides the cavalry, the *Jäger* had a special reputation of being an élite arm.[110]

Jews were admitted to all cadet schools and military academies. In his autobiography, Wenzel Ruzicka recounted that when he attended cadet school in 1896-1900, there were two Jews out of some 40 cadets.[111] As far as we can see from examining Jewish officers' personal files, they appear to have been treated like their Christian comrades.

Jewish Generals

Some Jewish officers attended the *Kriegsschule* (staff college), but so far we have not been able to trace a Jewish officer on the general staff. Eduard Ritter von Schweitzer (1844-1920), who had distinguished himself in the campaigns of 1866 and 1878, attended the *Kriegsschule* in 1879-81. Although he finished seventeenth in a class of forty-four and despite the fact that all other candidates up to twenty-fifth rank (and five others as well) were accepted into the general staff, Schweitzer was not.[112] We cannot prove it, but it has been suggested that this was because Schweitzer was a Jew.[113] Perhaps the general staff wanted to avoid possible friction within its ranks at a time of rising anti-Semitism, although some baptised Jews served on the general staff. Of course, there was no official regulation barring Jews from the general staff. Schweitzer himself, knighted in 1878, was promoted to major-general in 1904 and commanded the 53rd Infantry Brigade up to his retirement with the honourary title of lieutenant-general (retired) in 1908.[114]

Schweitzer's case leads us to the question of Jewish generals. As far as we know after carefully checking the available literature with the primary sources, Schweitzer and Heinrich Ulrich Edler von Trenckheim (1847-1914) appear to have been the only Jewish officers to reach general's rank before 1914 on active service in the common army. Ulrich was commissioned in 1866 and, like Schweitzer, served both in the War of 1866 and the Bosnian Campaign of 1878. Knighted in 1896, he commanded the 69th Brigade from 1905 until his retirement in 1909; he became major-general in 1906. Apart from co-authoring the 72nd Infantry's regimental history, he wrote a manual for noncommissioned officers in Croatian language.[115]

Three other Jewish officers were promoted to major-general during the First World War. Carl Schwarz (1859-1929) had been commissioned in 1878 after attending cadet school and had been transferred to the *Landwehr* in 1888. In 1908 he was promoted full colonel and commanded the *Landwehr* Infantry Regiment Nr. 16 in Cracow. He retired in 1911, but was re-activated when the First World War broke out. He was promoted to major-general in 1915.[116]

Dr. Leopold Austerlitz, born in Prague in 1858, had started his military career as a reserve officer candidate (one-year-volunteer) in 1877. After completing his studies (mathematics and physics) at Prague University in 1885, Dr. Austerlitz passed the additional examination required to become a career officer in 1889. He first served as a teacher at various military schools and was then, already a respected scientist, transferred to the artillery staff in 1900. As full colonel he became sectional head of the artillery's renowned technical committee in 1913. After a short time at the front in late 1914 commanding the heavy guns at Belgrade, Dr. Austerlitz was promoted to major-general in 1915. In recognition for his services, Dr. Austerlitz was granted the Officer's Cross of the Order of Francis Joseph in 1915 and the Knight's Cross of the Leopold Order in 1918.[117]

Maximilian Maendl von Bughardt (1860-1929) was a successful infantry officer who had started his military career with the well-known 1st Tyrolian *Kaiserjäger* Regiment in 1878. From mid-1914, he commanded the *Landsturm* (second-line territorial reserve) Infantry Regiment Nr. 11 in Galicia. In 1916, Colonel Maendl became commander of the 21st *Landsturm* Infantry Brigade, later the 21st Mountain Brigade. For his bravery in the defence of the Görz bridgehead, he was enobled in 1916 and promoted to major-general in 1917.[118]

Apart from these officers who had reached general's rank, there are innumerable examples of Jewish officers who served bravely in the campaigns of the nineteenth century as well as during the First World War. Colonel Adolf Beer (1834-1888) was a gunner and served in various staff and command assignments. In 1887, he was appointed commander of the Corps Artillery Regiment Nr. 13 at Laibach (Llubljana). He died from pneumonia a year later.[119]

Alexander Ritter von Eiss (1832-1921) fought with distinction in the wars of 1848/49, 1859 and 1866, always in Italy, and was awarded the Order of the Iron Crown (3rd Class) in 1866. In 1884, already a major, he was knighted. In 1890, he became full colonel and commanding officer of the *Landwehr* Infantry Regiment Nr. 14. In 1895, he was awarded the Knight's Cross of the Order of Leopold but had to retire in 1896 due to failing eyesight. Whether the story is true that he was offered the Order of Maria Theresa (more or less equal to the British Victoria Cross) and, later, the promotion to general's rank if he converted, is impossible to tell - from the documents it appears rather unlikely. In 1907, he was granted the title of major-general. The general's three sons fought with distinction in the First World War - Otto (a lieutenant) and Hermann (a captain) being killed in action while Lieutenant Karl v. Eiss survived despite being wounded. Karl v. Eiss was one of the very few recipients of both the Golden Medal for Bravery (other ranks) and the Officer's Golden Medal for Bravery.[120]

Like Eiss, Simon Vogel (1850-1917) was a highly qualified officer. He became regimental commander of the Infantry Regiment Nr. 38 and then the Infantry Regiment Nr. 76. He retired as full colonel before the war, and he was granted the honourary title of major-general in recognition of his services.[121]

Conversion

We have to point out that our discussion of Jewish generals has not included converted Jews who became generals in the I&R armed forces.[122] Generally speaking, baptised Jews were accepted into gentile society and had been able to reach general's rank very early. Among the better-known examples was Lieutenant-General Armand von Nordman (1759-1809) who had started his military career in France, but fled the terror of the revolutionaries in 1794 when he left France and joined the Austrian army. He rose in rank and distinguished himself in all campaigns, being awarded the Order of Maria Theresa in 1806. He was killed in action on July 6, 1809, at

Deutsch-Wagram where he commanded the Avantgarde.[123] A century later, the Hungarian Colonel-General Baron Samuel (Samu) Hazai (originally Kohn, 1851-1942) was a famous general of Jewish origin. He was baptised at an early age and, as general commanding recruiting and supplies for all I&R armed forces in 1917-18, he was practically the most important officer in the whole monarchy with the exception of the chief of the general staff.[124]

We cannot say how many officers converted during their careers. Of the 373 Jewish officers listed by Frühling in 1911, 108 had been baptised before enlisting or during their service. The proportion of converts was higher among the officers of field rank. Obviously, while not necessary for quick promotion, conversion was no obstacle to advancement. Adolf Kornhaber Ritter von Pilis (1856-1925) is a good example. Kornhaber was the son of a noncommissioned officer and attended the famous military academy at Wiener Neustadt. He was commissioned in 1878 and took part in the Bosnian Campaign that same year. In 1881-83 he attended the staff academy and for several years taught at the regiment's noncommissioned officer and cadet schools. Already a captain, he was transferred to the Royal Hungarian *Honvéd* in 1895. After his promotion to the rank of major, he was baptised. In 1905, he was promoted to colonel and given command of the *Honvéd* Infantry Regiment Nr. 5. When the war broke out, he was major-general (retired). Reactivated, he was promoted to lieutenant-general on November 1, 1914. In 1915, he commanded the 51st *Honvéd* Infantry Division and proved himself a "decisive and energetic leader".[125]

In contrast, the number of Christian officers who became Jews was very small. In 1870, Lieutenant Anton Lux (1847-1908) of the Field Artillery Regiment Nr. 3 applied for permission to convert to the Jewish faith. According to the War Ministry's reply, there were no obstacles to this conversion. Lux apparently remained Roman-Catholic; he later rose to the rank of colonel.[126] But conversion to Jewish faith was at least frowned upon. In 1888, Lieutenant Gustav Eichinger of the Fortress Artillery Battalion Nr. 8 in Przemyśl asked for transfer to another unit because "by my conversion to the Jewish faith my position in society and towards my comrades has been damaged." Actually, the events surrounding his conversion had already roused the interest of the rainbow press: Eichinger had contracted debts and the (Jewish) father of his fiancée reputedly paid them in his place. Eichinger, however, asserted that he was truly in love with his fiancée - and as he was supported by his battalion commander, the military authorities had little pretext for action. Lieutenant-General Wilhelm v. Wagner, the 1st Artillery Brigade's commander, snorted that Eichinger's step had dishonoured the Christian faith as well as the man and wrote: "I do not consider him fit to be an officer in the I&R Army." Eichinger was transferred to another unit after three months yet, within one year after this incident, was promoted to first lieutenant. Eichinger did not marry his fiancée and later converted back; he resigned his commission in 1892.[127]

Between Emancipation and Discrimination

Dr. Wolfgang von Weisl (1896-1974), who served in the First World War, asserted that even officers who shared the pan-German attitudes often associated with fin-de-siècle anti-Semitism never displayed anti-Semitic bias on duty.[128] This was confirmed by other Jewish officers like Lieutenant Rudolf Kohn (born 1894) as well.[129] The army newspapers reacted angrily against anti-Semitic tendencies. In 1900, *Danzer's Armee-Zeitung* published a noteworthy article about the uniting spirit of the army, where Christian, Jewish and Moslem soldiers fought and died together: "Those who die for Emperor and Country are put together into one grave, lying side by side irrespective of race or religion until they are finally called up by the One Supreme Being to proceed to a better life where there is no race discrimination, no anti-Semitism, no religious strife."[130]

There certainly were exceptions. In 1890, Archduke Friedrich, then commander of the 5th Corps, described the highly decorated

Captain Wolf Bardach Edler von Chlumberg (1838-1911) as unqualified for promotion with the Hussars, but ideally suited to serve with the *Train*. Bardach had distinguished himself as a cadet in the artillery during the War of 1866 when he was awarded the Golden Medal for Bravery. He later was transferred to the cavalry and attended officer school, being commissioned in 1875.[131] But then, some contemporaries had already accused Archduke Friedrich of anti-Semitic attitudes: in 1904 he reputedly ruled that only Christian noncommissioned officers were to be selected for the staff of his 5th Corps command, although from archival sources it is not possible to confirm this allegation.[132]

Archduke Friedrich was probably the most conspicuous, but not the only example of anti-Semitic bias among high-ranking officers. During the First World War, an Austrian brigade commander whose contempt of Jews was matched by his dislike for Hungarians had the names of Hungarian officers under his command translated from Hungarian into German in order to find out whether they were Jews.[133] But on the whole the officer corps remained immune to the rising anti-Semitism common in civilian society of the day. The Jews' position was certainly better in the armed forces than in many spheres of civilian life. This was largely due to the special situation of a multinational army (including thirteen nationalities and twelve religious groups in its ranks) serving as one of the strongest bonds of unity in a multinational empire. Although mostly German by birth and Roman-Catholic by religion, the officers understood their duty as being above the nationalistic issues of the day. Their allegiance belonged not to one particular nationality, but to the Emperor and dynasty alone.[134] When in 1901 the city council of Wiener Neustadt (the town where the famous military academy was situated) ordered the German colours of black-red-gold to be raised beside the Austrian flags, the *Armeeblatt* responded in disgust "that especially for Wiener Neustadt there can be only one flag: black and gold", i. e. the colours of the Habsburg Monarchy.[135] In fact, Emperor Francis Joseph had made it a matter of principle to keep the armed forces unified and immune from political or nationalistic interference. In the 1880s, for example, the head of the Emperor's own military office had been Lieutenant-General Baron Leonidas Popp (1831-1908), a distinguished officer of Romanian-Orthodox faith.[136]

The comparatively high number of Jewish officers in the Austro-Hungarian armed forces was exploited by pan-German radicals in their attacks on the Dual Monarchy. A characteristic pamphlet, published in 1891, listed the existence of Jewish officers as among the chief reasons for the deficiencies of the I&R forces: "The admittance of Jews into officers' circles is a natural consequence of the power and influence ceded to the Jewish race in the Habsburg Monarchy over the last three decades. With the exception of the French army, the Austrian army is the only one in Europe to have Jewish officers, and in any German regiment every officer from the colonel down to the youngest lieutenant would rather quit the service than accept a Jew as a comrade!... With the typical Jewish ability to stick anywhere it won't take too long before the Austrians will have half a dozen Jewish officers in each regiment. In the end, the largest part of the Austro-Hungarian army will become *verjudet* (infested by Jews)."[137]

The author of this pamphlet added that the Austrian officers should follow the German example of not admitting Jewish officer-candidates into their regiments. This was possible because the officers of a regiment had to vote whether an officer-candidate was worthy to be commissioned. In Austria-Hungary, this appears to have been a formality and did not imply the exclusion of social or cultural "lower classes" from the officer corps, as it sometimes did in the German *Reich*.

To a certain extent, however, the rising anti-Semitism of fin-de-siècle Austria certainly had consequences for the officer corps. Most probably the declining number of Jewish officers was among them. At least the *Oesterreichisch-Israelitische Union* thought so and in 1904 complained "that the commission of Jews as officers and army doctors has considerably declined."[138] The slight discrepancy between the number of Jewish officers and Jewish officer-candidates (which was a bit higher) might confirm these allegations, but as this comparison is possible for only one year (1911) we should be careful not to draw too-far reaching conclusions. Dr. Wolfgang von Weisl recalled that "Jewish society preferred their sons to become lawyers and doctors instead of career officers."[139]

Possibly, however, the radicalization within some Roman-Catholic groups affected the army even more. This was mainly due to the influence gained by Archduke Franz Ferdinand, the successor-designate, over the military in the early 1900s. Himself a very pious man, he vetoed the appointment of a Protestant officer, Baron Ludwig Holzhausen (1861-1914), as commander of the famous military academy at Wiener Neustadt and had liberal military chaplains replaced by more conservative priests.[140] While not directed against the Jews in particular, this attitude did not help to improve the situation of non-Catholic officers, be they Christian, Moslem or Jewish.

It is sometimes said that Count Franz Conrad von Hötzendorf, Austria-Hungary's longtime chief of the general staff and possibly the most influential general up to 1917, showed a strongly anti-Semitic bias.[141] While it is true that he was not particularly fond of what he termed "International Jewry" - which in his eyes supported the Entente's efforts to destroy Austria-Hungary - he fully acknowledged the patriotic feelings of Austria's "National Jewry" as the latter had taken part in the Great War, sometimes giving their lives for the Dual Monarchy: "... and I would not like to deny to them the respect due." At the same time, Conrad, a fervently chauvinistic German and proud of the European culture, expressed mixed feelings towards the Roman-Catholic Church which he considered often ill-compatible with his duties as a soldier. But he respected religious beliefs "as long as they are not aimed at being detrimental to somebody else."[142]

Officers in the *Landwehr,* the *Honvéd,* and the Navy

Generally speaking, the situation of Jewish officers in the Austrian *Landwehr* was similar to that in the common army. In the Hungarian

Honvéd the number of Jewish officers was even higher, although no exact figures are available. A study based on a sample of 800 *Honvéd* officers killed in action during the First World War arrived at a figure of approximately one-third Jewish officers (both career and reserve officers) while in certain regiments more than half of the officers were said to have been Jews.[143] While this figure might be rather on the high side, it clearly shows a trend corresponding with the more liberal attitude shown by the Hungarians in general - who were promptly denounced as *Judo-Magyaren* by anti-Semitic radicals. In the years up to 1917, no less than three Hungarian ministers came from Jewish families, one of whom, General Baron Samuel (Samu) Hazai, was Minister of Defence and later, in 1917-18, rose to the position of the general commanding recruiting and supplies for all I&R armed forces, as already mentioned above.[144] Another reason for the high proportion of Jewish officers in the *Honvéd* might be found in its overall social composition. While this "national army" ranked high on the list of national Hungarian status symbols, the upper classes and nobility always chose to become officers in the common army, leaving the officer corps of the *Honvéd* filled up from the middle and - most of all - the lower classes of Hungarian society. At the same time, it was an appropriate vehicle for aspiring middle- and lower-class Hungarians to show their nationalist ideals.

In comparison, the number of Jewish officers in the I&R Navy was very small and never exceeded a handful. Between 1885 and 1911, it was rarely higher than 0.1 per cent.[145] This can probably be explained by the small size of the Austro-Hungarian navy and the small Jewish population in the Adriatic provinces, as anti-Semitic bias was perhaps even rarer in the traditionally liberal-minded navy than in the more conservative army. One of the few Jewish naval officers was Friedrich Pick, Edler von Seewarth (born 1839), who, still a midshipman, took part in the operations against Denmark in 1864 where he was awarded the Silver Medal for Bravery (first class) as well as the Prussian Medal of Honour (first class). In 1866, he served in the war against Italy, and in 1869 he took part in the actions in Dalmatia. In 1891 he was promoted junior captain (the equivalent of lieutenant-colonel) and enobled in the following year. In 1895 he was made captain (commodore, equivalent to a colonel) and retired.[146]

A few years before, Moritz Ritter von Funk (1831-1905) had reached the same rank. Funk had attended the naval academy until 1848. In the following years, he took part in the operations of the wars of 1848/49, 1859, 1864 and 1866. From 1868 through 1871, he headed the "central office" of the war ministry's naval section. In 1871 he was promoted to captain / commodore, enobled, and given command of the ship "Fasana", a corvette. In 1871/72, "Fasana" undertook an important commercial mission to East Asia, visiting Siam (Thailand), China, and Japan. After his return, Captain v. Funk contributed to a new naval manual. Highly decorated, he retired in 1881.[147]

Marriages

A further point which merits mention is that a number of officers married Jewish women. This is not only an example of the lack of anti-Semitic bias among the Austrian officers; officers' wives played an important role in the society life of a garrison. When an officer fell in love with a Jewish girl, the interests of the officer met with the aspirations of the Jewish upper and middle classes for whom an officer was a respectable son-in-law. The financial question was quite important. In order to improve the financial situation of a deceased officer's wife and children, it had been decided in the eighteenth century to permit an officer's marriage only if sufficient property was available to guarantee the widow a respectable income upon the death of the husband (which was, of course, considered a professional risk). While apparently reasonable enough, the officers' low pay ensured that few officers could afford this *Heiratskaution* ("marriage bond") on their own. In some regiments a large number of officers lived with their spouses for many years without being wed. The yearly income to be guaranteed by the *Heiratskaution* was especially high for officers in the general staff.[148] A popular joke made the rounds about the difference between an officer in the

Train and one in the general staff: While the officer in the supply corps was a Jew himself, the staff officer had a Jewish wife since only Jewish parents-in-law could afford the high *Heiratskaution*. This generalization was certainly exaggerated. The comparatively high number of officers' Jewish wives cannot be denied, although it is impossible to prove it statistically. An example was Lieutenant-General Hugo Daler von Durlachstein (1856-1922) who married a wife from a well-to-do Jewish family. The widow was denounced after 1938 and deported to Auschwitz where she was murdered.[149]

Jewish Reserve Officers

Among the reforms initiated after the defeat of 1866 was the reorganization of the reserve officer system in order to prepare the army for mass mobilization. As leaders of the future mass armies, academic professionals, the élite in civilian life, were a logical choice. Thus secondary or high school graduates and university students were offered the choice of serving one year instead of three years on active duty. After the completion of additional exercises these *Einjährig-Freiwillige* (one-year-volunteers) were given reserve commissions.

Jewish students were represented at secondary or high schools and universities in greater numbers than the census returns would suggest. While the Jews never exceeded 4.8 per cent of the whole population, 7.1 per cent of all secondary / high school students were Jews in 1863. This figure rose to 15. 8 per cent in 1890 and 17.2 per cent in 1910. Similarly, while in 1863 9.4 per cent of all university students were Jews, their proportion rose to 20.6 per cent in 1890, dropping only slightly to 20.4 per cent in 1910.[150] Thus it is hardly surprising that, between 1897 and 1911, some 18 per cent of all reserve officers were Jews.[151] This figure of nearly one fifth of all reserve officers might appear not too spectacular at first glance, but it has to be seen in comparsion with the fact that in Prussia some thirty thousand Jewish cadets tried in vain to be commissioned as reserve officers between 1885 and 1914.[152] In the Hungarian

Honvéd the number of Jewish reserve officers was even higher than in the common army.[153]

The distribution of Jewish reserve officers in the different branches of service generally matched the picture outlined above for their counterparts among the career officers. The majority of all Jewish reserve officers served with the infantry. Their numbers were smaller in the cavalry, the rifles and the technical services. Jews were over-represented in the medical service up to 1905 and, most strikingly, in the supply corps where they accounted for 37 per cent of the reserve officers in 1906. These numbers say nothing about the distribution on regimental level, of course. For example, while the average number of Jewish reserve officers in the artillery was rather small, one artillery regiment was mockingly dubbed "von Rothschild" because of its large number of Jewish one-year-volunteers and reserve officers.[154]

Considering the values and the honour code of the late nineteenth century, it is obvious that the reserve officer's uniform hanging in the wardrobe was the final, and much-coveted, symbol of Jewish emancipation and acceptance into gentile society. This might explain why the proportion of Jewish reserve officers was even higher than the percentage of Jewish secondary / high school students. This fact serves as additional indication that anti-Semitism was a negligible factor in the I&R armed forces. Indeed, in the armed forces equal treatment of Jewish officers could actually be enforced through the officers' very strict code of honour. For example, many students' associations in the late 1890s denied the Jews *Satisfaktionsfähigkeit* (the privilege to fight duels).[155] In the armed forces, however, it was not allowed to refuse a duel if the opponent was a Jew. There are examples of duels that were actually ordered to take place - otherwise both contestants would lose their commissions. A typical story is reported of a one-year volunteer of the Dragoon Regiment Nr. 2 who, in the early 1890s, insulted a Jewish comrade without granting him satisfaction as he considered a Jew unworthy of a duel - an attitude shared at this time by many students' fraternities. It was not tolerated in the army, however! The morning after this incident the commanding general of the Vienna Cavalry Division, Lieutenant-General Wilhelm Gradl, himself addressed the cadets and made it quite clear that a Jewish cadet was to be respected as much as a non-Jewish one. The general ordered the duel to take place within the next 24 hours. In due course, the duel sent both contestants to hospital for a few days.[156] In fact, the existance of Jewish (reserve) officers was among the chief reasons why some students' fraternities in Austria refrained from adopting more radical anti-Semitic positions.[157] The *Duellfrage* was of major importance, as reserve officers had to observe their officers' code of honour in civilian society, too.[158]

We have to add here, however, that reserve officers, coming mostly from the secondary / high schools and universities, were affected by nationalistic (and thus, all too often, anti-Semitic) sentiments earlier and to a higher degree than their career officer counterparts. This also helped to separate career and reserve officers. Unlike in Prussia, the Austro-Hungarian reserve officers never enjoyed complete acceptance by the career officers.

The officers' honour code affected reserve officers in many ways, especially if they were writers or artists. One of the better-known cases involving a Jewish reserve officer is that of Dr. Arthur Schnitzler (1862-1931). Schnitzler, a physician and writer, lost his reserve commission as medical officer (first lieutenant) in 1901 for having published the famous short story *Lieutenant Gustl*, in which he questioned the significance of the duel.[159] It has at times been suggested that Dr. Schnitzler lost his commission because he was a Jew, but this is nonsense. While an important piece of literature, *Lieutenant Gustl* obviously contained enough offence in the eyes of the military to warrant the culprit being stripped of his commission, regardless of his religion.[160]

JEWISH OFFICIALS AND MEDICAL OFFICERS

Already in the nineteenth century the proportion of non-fighting personnel in the armed forces was considerable. A statistical assessment of these "officials" is not easy, for among them were high-ranking officers serving in various institutions and academies and medical officers as well as minor clerks.[161] The vast majority, however, served in positions which required secondary / high school or university training which, in turn, helps to explain the rather high Jewish proportion among the army officials: 18.4 per cent in 1894 and 13.6 per cent in 1911. The actual percentage was even higher, as these numbers include army chaplains of which the large majority were Christians. Although not as spectacular as in the case of officers, the proportion of Jews among the reserve officials was greater (21 per cent in 1897, 22.8 per cent in 1911) than among their career counterparts (12.7 per cent in 1897, 7.4 per cent in 1911). The distribution among the different branches of service showed no distinct pattern. The figures were above the average in the supply corps, whereas, contrary to common opinion, the number of Jewish army doctors was not out of proportion at all. Both in the transportation and medical branches, however, the difference between the career and the reserve figures was exceptionally large. In Galicia, where the number of Jewish army doctors was rather high, the military authorities found themselves confronted with (usually anonymous) accusations of bribery in connection with avoidance of the draft. There was little substance in these accusations. In 1876 General Count Erwin Neipperg, the Commanding General in Galicia, suggested that a transfer of Jewish army doctors from Galicia elsewhere might help to reduce the denounciations of bribery[162] - but even the general must have known that this suggestion was impossible to put into practice, whether the allegations were unfounded or not.

As officials served in non-fighting positions, Jews encountered perhaps even less anti-Semitic bias than their fellow officers in the line, although like their Christian comrades they might have been accused of being more cautious than courageous. While it is sometimes suggested that Jews might have been assigned to non-fighting branches out of distrust,[163] we know of Jewish officers who tried desperately to get transferred to some more agreeable job out of the firing line.[164] In fact - and despite their vital contribution to the war effort - officials were generally less respected than officers of the fighting branches. A dashing young cavalry officer was certainly held in higher esteem by society in general, and young women in particular, than some bespectacled official in the supply corps. Still, there were exceptions to this rule, just as there were good-looking officials and fat old cavalry officers.

A few examples only should be mentioned here. Dr. Michael Waldstein (born 1823) had studied at the Josephinum in Vienna and graduated in 1850. As a medical officer, he took part in the Italian campaign of 1859. Later he rose to the position of chief medical officer of the 15th Corps (1883) and then of the 2nd Corps (Vienna) in 1886. In 1888, he reached the rank of major-general in the medical branch. He was enobled with the predicate "Edler von Heilwehr" and retired in 1891.[165]

Dr. Alois Pick (1859-1945) completed his year as reserve-officer-candidate before studying medicine at Prague University where he graduated in 1882. In 1884 he became a medical officer. He was also an authority in medical science, teaching at the University of Vienna where he later became professor. In his personal files, the space provided for his publications proved far too small and an additional list had to be attached. In 1918, as head of the Vienna medical school, he was promoted to lieutenant-general (medical branch) and was the fourth-ranking medical officer in the army. After the war, he was for some time President of the Jewish Community in Vienna.[166]

Another Jewish medical officer was Dr. Leopold Herz (born 1852) who up to his retirement in 1911 was head of the Przemyśl garrison hospital with the rank of colonel. In 1902 he had authored an excellent study on the medical services in the Anglo-Boer War.[167]

Dr. Siegfried Plaschkes (1886-1964) was a young *Landsturm-Assistenzarzt* (lieutenant's rank) for the duration of the war in the Great War. He served in hospitals in the Southern (Serbian) and Southwestern (Italian) theatre. Already in 1915 he was awarded the Golden Cross of Merit with the Crown worn with the ribbon of the Medal for Bravery. In 1916 he became a first lieutenant and the next year was awarded the coveted Knight's Cross of the Order of Francis Joseph (war decoration).[168]

In a completely different sphere, Siegfried Popper (1848-1933) contributed to Austria-Hungary's war effort. He had studied technical science in Prague and joined the I&R Navy in 1869. Promoted to engineer-general in 1904, he retired in 1907, continuing his work at the *Stabilimento Tecnico Triestino's* offices in Triest. He was responsible for the design of the Austro-Hungarian dreadnoughts of the "Tegetthoff" class, the Dual Monarchy's four most modern battleships. Among his decorations were the Knight's Cross of the Order of Francis Joseph (1895) and the Iron Crown (third class) (1900).[169]

Jewish Military Chaplains

That there were no less than seventy-six Jewish military chaplains in the common army in 1918 alone gives us a clue to the importance of Jewish soldiers in the Austro-Hungarian armed forces. The commissioning of Jewish military chaplains in times of war had already been approved in 1866. On June 26, 1866, Francis Joseph had one Jewish military chaplain each appointed for the armies in Italy and Bohemia. But the "Seven Weeks War" was over before this measure could be put into practice. The creation of a permanent Jewish military chaplain's branch was considered impractical, however, because the Jewish soldiers were scattered over the entire monarchy.[170] For purposes of comparison we should note that, whereas Protestant soldiers had served in the Imperial forces under changing conditions throughout the eighteenth century, it was only in 1834 that the first two Protestant military chaplains were contracted to care for the Protestant soldiers in Italy.[171]

In 1875 the first Jewish military chaplain was appointed with a reserve commission for the 2nd Army. In the same year the appointment of one chaplain each for the 1st and 3rd Armies upon mobilization was sanctioned.[172] In peacetime, civilian rabbis cared for Jewish soldiers wherever this was necessary. Dr. Alexander Kisch from Prague even submitted a petition in 1896 that he be called *Oberrabbiner der Prager Garnison* (supreme military rabbi of the Prague garrison) - which he was denied despite his achievements because no such title existed in Austria.[173]

When the First World War broke out in 1914, there were altogether ten *Feldrabbiner der Reserve* in the common army. A comparison with the army list for 1918 shows that during the war an additional ten chaplains were appointed while fifty-six were commissioned for the duration of the war. All of them held a rank corresponding to the rank of captain. They wore black clerical coats with a black top hat for full dress. In the field they wore field grey uniforms tailored more or less to the regulations for officers' blouses with three narrow golden stripes on the cuffs to denote their rank and black velvet collar patches.[174] Usually assigned to the forces at corps or army level, the military chaplains cared for the Jewish soldiers' religious needs and supplied them with kosher food. They were also eager to gain recognition from the high command of Jewish soldiers' achievements and successfully prevented discriminatory measures such as the "Jewish census" of 1916 in the German army. Dr. Adolf Altmann (1879-1944), attached to the 10th Army in Southern Tyrol from 1915 to 1918, collected testimonals from high ranking officers in recognition of the conduct of Jewish soldiers and officers on the battlefield. Jewish chaplains also served as censors for field post letters and cards written in Hebrew letters.[175] Especially on the Eastern Front, military chaplains also cared for the suffering civilian population. Dr. Rubin Färber (1869-1955) was given the honourary citizenship of the town of Wladimir Wolynski in recognition of his social work.[176]

WORLD WAR ONE

When the First World War broke out, the number of Jewish conscripts asking for exemption from military service was larger than the figure for other religious groups, and there were numerous cases of Jewish soldiers simulating illnesses to evade service at the front.[177] In 1916, for example, in a military hospital in Cracov a number of Jewish soldiers showed signs of artificially created hemorrhoid whereas in Przemyśl several Jews had dislocated shoulder blades.[178] This behaviour was often regarded as "typically Jewish", although other population groups were not at all immune to cowardice: during the Serbian campaign of 1914, for example, a number of Czech soldiers were reported to have shot themselves in their thumbs and toes.[179] An investigation currently undertaken at the Vienna War Archives comes up with a surprisingly high number of reserve officers of Czech or other Slav nationalities who deserted the I&R forces. In comparison, the number of Jewish deserters was exceedingly small.[180]

Yet attempts to evade military service were all too often seen as characteristically "Jewish". The fact that many prominent journalists and artists - a large proportion of them Jews - used "channels" to evade frontline service by being transferred to the War Archives or the War Press Office *(Kriegspressequartier,* KPQ) did not help correct this impression.[181] Just as numerous, however, are the examples of outstanding bravery shown by Jewish soldiers in this war. To prove this, Moritz Frühling published the *Jüdisches Kriegsgedenkblatt* ("Jewish War Memorial"). Six issues appeared between 1914 and 1917. Frühling wrote numerous biographies and appraisals of Jewish war heroes, thereby honouring their memory but at the same time fighting anti-Semitic propaganda.

When the war broke out in 1914, all nationalities and religions of the Old Monarchy welcomed cheerfully the opportunity to teach "treacherous Serbia" a lesson. The Jews were no exception. Indeed, more educated Jews, many of them serving as reserve officers or noncommissioned officers, added to their patriotic spirit a crusade-like fervor to liberate their Russian brethren from Czarist oppression.[182]

The often-cited "double loyalty" of a Jew towards his country and his religion caused few problems for Austrian Jews in 1914, given the comparatively tolerant attitude of the Austro-Hungarian Monarchy. There are reports that Austrian Jewish soldiers found it rather easy to persuade Russian Jewish soldiers to defect: for a Jew, the Habsburg Monarchy was a better place than Czarist Russia where Jews all too often were suppressed and subjected to pogroms. A Russian Jew informed the Austrian authorities in August 1914 that the Austrian forces were welcome as liberators. Although some 500,000 Jews served in the Russian Army, Russia's anti-Semitic policy grew even stronger after the outbreak of war in 1914. There were anti-Semitic riots and large scale deportations of Jews who were suspected of spying. Not completely unfounded, Russian Jews were often accused of preferring the Habsburgs to the less tolerant Romanoffs.[183]

A well-known Zionist artist, Ephraim M. Lilien (1874-1925), volunteered to join the army despite his age. He was attached to the War Press Office and in 1918 undertook an important propaganda mission to Palestine. For his achievements he was commissioned in 1918.[184] It was perhaps not only coincidence that the most popular war song was written by a Jew, Dr. Hugo Zuckermann. His *Reiterlied* ("Cavalry Song") for which Franz Lehár composed the music, captured the "spirit of 1914" - the hopes for victory and the conviction of fighting for the right cause. In another poem, written just after the outbreak of war when he served already as a lieutenant in the *Landwehr* Infantry Regiment Nr. 11, Dr. Zuckermann invoked the blessings of the legendary Field Marshal Radetzky upon the Austrian and Hungarian soldiers. Not an inch should remain Russian: "we extend the borders!". Alas, the war was not over by Christmas - and Lieutenant Zuckermann himself was killed in action at the beginning of the war.[185]

During the first months of World War One, the number of career officers killed in the I&R armed forces was enormous. This not only deprived the army of its leaders in the years to come but increased the importance of the reserve officers.[186] Considering the high proportion of Jewish reserve officers, we can assume that nearly 10 per cent of all officers serving in the Austro-Hungarian forces in this war were Jews.

It has been claimed that between 275,000 and 400,000 Jews fought in the I&R armed forces in the First World War.[187] A figure of about 300,000 appears not unlikely if we recall that altogether nine million men were mobilized between 1914 and 1918. Already in the 1920s, however, it was noted that any publication of data showing the participation of the various religious groups in the Austro-Hungarian war effort would be futile, because a great number of soldiers were not issued with proper personal documents but only registered in provisional files which did not indicate the soldier's religion.[188]

That many Jewish soldiers served bravely in this war is well attested. A few examples should suffice here. Corporal Aron Schapira (born 1886) was a noncommissioned officer in the 7th Lancer Regiment's reserve. During the opening battles in Galicia in 1914, he once undertook a reconnaissance mission far behind the Russian lines, wearing civilian clothes. Already decorated with the Silver Medal for Bravery (first class), he led another reconnaissance party in mid-December 1914, this time accompanied by a lance-corporal. On this occasion, he captured no less than 150 Russians and, at the same time, caused a Russian battery to retreat in disorder. For this achievement, he was awarded the Golden Medal for Bravery in 1915, the decoration being presented by Archduke Friedrich, the Supreme Commander, himself. Later Schapira, in the meantime promoted to the rank of staff sergeant, volunteered for transfer to the air corps and became senior noncommissioned officer with Air Company Nr. 34 on the Italian front. In 1918, he served with the air detachment at Kiev in the occupied Ukraine.[189] Another Schapira, Dr. David Schapira (1897-1984), was awarded the Silver Medal for Bravery (first class) and became a reserve officer. He lost his eyesight, yet after the war studied law and was President of the Vienna Jewish Community from 1948 to 1950.[190]

Ensign (reserve) Josef Kulka, who served with the Infantry Regiment Nr. 20 and later with the Bosnian-Herzegovinian *Jäger* Battalion Nr. 4, joined the army in 1915 at the age of nineteen. He was wounded in the same year and was awarded the Bronze Medal for Bravery in 1916. In the twelfth Isonzo battle in October 1917, the famous breakthrough at Flitsch-Tolmein / Caporetto, he led a platoon with such bravery that he was awarded the rare Golden Medal for Bravery a month later.[191] More than 1,000 Jewish officers were killed in action during this war. From various lists of army losses a study claimed that 6.78 per cent of the officers killed in action were Jews. Half of the Jewish career officers and 7.22 per cent of the Jewish reserve officers were awarded the Order of the Iron Crown, 3rd class, or higher decorations.[192]

Jewish Refugees

Many Jews, especially those from the West, supported the war out of patriotic conviction. Most Jews living in Galicia, however, had rather mixed feelings. After all, Galicia was to become one of the main battlegrounds of this war. One of the consequences hereof was that a large number of Galician *Ostjuden* ("East-Jews") fled to the West - and to Vienna in particular. In the autumn of 1915, according to a police report, there were 137,000 refugees in Vienna, 77,090 of them poor Jews. Joseph Roth wrote that there could be nothing worse than being a Jewish refugee in Vienna.[193]

Already before the war, the *Ostjuden* had been less than welcome - even by the Viennese Jews themselves. George Clare (originally Georg Klaar) wrote in his most interesting book that the Viennese Jews showed contempt rather than sympathies for their "poor relations" from the East: "We were - or at least thought to be - so different from those bearded, caftan-clad people. We were not just Austrians: we were German-Austrians!"[194] Rather than being accepted as poor refugees, the oddly-dressed *Ostjuden* were often regarded - and hated - as cowards and profiteers by the Viennese. They became a favourite target for anti-Semitism and remained so after the war.[195]

THE AFTERMATH: 1918 AND BEYOND

In the Old Monarchy, the Jews had often been called the only truly "supra-nationals", the only truly Austrian element in a multi-national empire - and this applied even more to those Jews serving as an integral part in the I&R Armed Forces. In his touching play about the last days of the monarchy, *3rd November, 1918*, Franz Theodor Csokor described the burial of an old officer, who had committed suicide upon the news of the final defeat, at a hospital in the Carinthian Alps. Throwing earth onto the coffin at the burial of their comrade, the officers representing various nationalities declare: "Earth from Hungary", "Earth from Poland", and so on. Last in line, a Jewish army doctor throws a spadeful of dirt onto the coffin and says: "Earth from - Austria". For the Jews in particular, the destruction of the Old Monarchy and the so-called revolution of 1918 heralded a new era which in many respects turned out worse than the previous one. But few Jews went so far as an Austrian submarine officer of Jewish descent who, some time after the defeat of 1918, donned his old naval uniform and shot himself in the Vienna Woods, wrapped in the flag he had saved from his old ship.[196]

The twenty years between 1918 and 1938 were dominated by an anti-Semitic bias shared by nearly all political groups. It is an open question if and how the relatively high number of Jewish officers in the armed forces before and during the First World War affected anti-Semitic propaganda in the postwar years, but it is significant that both the (aristocratic) officer and the (Jewish) capitalist profiteer were among the chief targets of both Socialist and National Socialist propaganda.[197] Certainly, the allegedly high number of Jews in the supply and administrative branches was depicted as having caused the breakdown of supplies which contributed so much to the eventual defeat of the Central Powers. Rudolf Jeremias Kreutz summarized this attitude (which he did not share) in 1931: "The chauvinists call the elastic wisdom of egoism Jewish and blame it for having caused the defeat. The famous stab in the back was, according to them, delivered by three components:" fear of sacrifice, greed, and resistance to the old system. This amounted to "the preparation of the mule's kick against the dying lion."[198] The Jews were often accused of having made considerable gains by holding back supplies while the poor soldiers at the front and their families back home were starving.[199] This strong anti-Semitic bias appears to have influenced even officers' circles who appeared more or less immune before the war. Even *Danzer's Armee-Zeitung*, which had so vigorously fought anti-Semitism in the early 1900s, published an openly anti-Semitic article in 1919.[200] Still, even in the interwar years the Austrian armed forces remained remarkably resistent against anti-Semitic tendencies.

To some extent, the officers were held responsible for the defeat in the war. While not completely justified, these accusations have some relevance in our context. In Austria-Hungary, it had become difficult to have distinguished noncommissioned officers commissioned. Unlike in earlier decades, towards the end of the nineteenth century it had become nearly impossible to have a staff sergeant promoted to lieutenant, and this attitude continued throughout the World War. Successful fighter pilots like Warrant Officer Julius Arigi (1895-1981), the sole five-time winner of the Golden Medal for Bravery who scored 32 confirmed aerial victories, remained noncommissioned officers - whereas green high school students became reserve officers within a couple of months.[201] It is not surprising that this caused bad feelings, and we should remember that every fifth reserve officer was a Jew. It is perhaps not a coincidence that the leader of the (illegal) Austrian Nazi party before the *Anschluß* in 1938, Josef Leopold, had been a highly-decorated sergeant in the war who was commissioned only after the war, in 1919, in the newly-created (at that time Socialist) Austrian Republic.

Jews in the Austrian Federal Army, 1918-1938

As the Peace Treaty of St. Germain (1919) allowed Austria only a small professional army of thirty thousand men, the number of

Jewish officers and men in the new *Bundesheer* was small. This changed a little when national service was reintroduced in 1936; at the same time, the institution of "one-year-volunteers" (reserve-officer-candidates) was reestablished.

Among the better known Jewish officers was Emil (von) Sommer (1869-1946) who had commanded a regiment in the war and was a highly respected leader. Retired as full colonel in 1923, Sommer was later given the honourary title of major-general.[202] Despite the racial anti-Semitic bias of the 1920s and 1930s, Jewish-born Johann Friedländer (1882-1944), who had distinguished himself in the general staff before and during the war, became regimental commander in 1925 and, after 1928, headed the defence ministry's department of training, equipment and education. Promoted major-general in 1932, he was transferred to the inspector general's office in 1936. Upon retirement in 1937, he was given the title of lieutenant-general.[203] Like Friedländer, Dr. Robert Hecht, an influential and highly intelligent official in the defence ministry's legal department, was of Jewish background. As a leading figure of the Christian-Socialist government before 1938, Dr. Hecht was deported to Dachau in April 1938 where he was murdered soon afterwards.[204] Friedländer perished in the Holocaust, but Sommer succeeded in fleeing from a concentration camp to the United States.

The twenty years of the First Austrian Republic can be called a "cold civil war". Besides the Federal Army there were a number of party-affiliated paramilitary "private armies". Because some Jews supported the Socialist Party, there were Jews in the Socialist Party's paramilitary *Schutzbund.* But other Jews sided with more conservative bodies; some even served with the right-wing *Heimwehren* (home guards). Dr. Max Thurn (born 1910) recalled that more than one quarter of the Vienna *Heimatschutz* motor unit he belonged to were Jews, including the commander,[205] although this was an exception.

The *Bund Jüdischer Frontsoldaten* (BJF) had 24,000 members in 1938.[206] This combination of a veterans' association and a paramilitary force was established in 1932 to protect Jews and Jewish property from anti-Semitic riots. The BJF was headed first by Major-General (retired) Emil (von) Sommer and from 1934 by Captain Sigmund (Edler von) Friedmann (1892-1964), a retired First World War officer. The BJF was a rather conservative group and was affiliated with the government's *Vaterländische Front* ("Fatherland Front") established as a "state party" after the abolition of democracy in 1933/34. There were women's and children's groups as well as a *Sturmkader* (storm unit).[207]

After the National-Socialist takeover of the Austrian government on March 11, 1938, and the ensuing annexation by the Third Reich, the Austrian *Bundesheer* became part of the German *Wehrmacht*. Jewish soldiers - or rather "non-Aryan" ones as defined in the Nuremberg Laws - were dismissed from active service, sometimes with reduced pensions. Their total number is not exactly known. From the documents available, we arrive at a number of 238 (mostly officers) who were dismissed between March and December 1938 as "non-Aryans", whether they were Jews themselves or had some Jewish background (this included marriage with a "non-Aryan" woman); the total might have been higher.[208] Persons of "mixed blood" with only one Jewish grandparent could remain in the German *Wehrmacht* until 1940 when they - together with Jesuit priests and members of former German dynastic families - became "unworthy of military service" as well.[209] A number of Jewish soldiers, including retired officers and highly decorated veterans, were murdered in concentration camps.[210]

A number of Austrian Jews who had managed to leave the country joined the Allied armed forces when war broke out in 1939. They fought in the British, Commonwealth and American armies, among others, against Nazi Germany, thus contributing to the eventual liberation of Austria in 1945. Their exact number is unknown but might have been well above 10,000 men.[211]

As a matter of fact, the BJF was dissolved after the *Anschluß*. Sigmund (Edler von) Friedmann, however, managed to emigrate to Palestine where, under the name of Eitan Avisar, he became deputy chief of staff in the Haganah (the Israeli underground army) and later, promoted to Aluf (major-general), headed the Israel Defence Forces' supreme military court.[212] Other Austrians who joined the Haganah were Rudolf Löw (Rafael Lev, died 1961), a former instructor in the Socialist paramilitary *Schutzbund,* and Dr. Wolfgang (von) Weisl (1896-1974) who commanded a battery in the Negev in 1948 and was very proud of his Austrian army background.[213]

It might be difficult to imagine a more extreme contrast than between the old I&R armed forces and the army of the nascent state of Israel. The role played by Jewish Austrians in the Haganah and the IDF would make an interesting study by itself - but it is certainly outside the scope of this publication.

The following translations of military ranks have been used:

Austrian Rank	*British Rank*
Feldmarschall	Field Marshal
Generaloberst	Colonel-General
Feldzeugmeister/General der Cavallerie/General der Infanterie	General
Feldmarschalleutnant	Lieutenant-General
Generalmajor	Major-General
Oberst-Brigadier	Brigadier-General
Oberst	Colonel
Oberstleutnant	Lieutenant-Colonel
Major	Major
Hauptmann/Rittmeister	Captain
Oberleutnant	Lieutenant
Leutnant	Lieutenant 2nd Class
Fähnrich	Ensign
Offiziersstellvertreter	Warrant Officer
Stabsfeldwebel/Stabswachtmeister	Staff Sergeant
Feldwebel/Wachtmeister	Sergeant
Zugsführer	Corporal
Korporal	Lance-Corporal
Gefreiter	Private 1st class
Gemeiner	Private

Austrian Naval Rank	***British Naval Rank***
Großadmiral	Admiral of the Fleet
Admiral	Admiral
Vize-Admiral	Vice-Admiral
Kontre-Admiral	Rear-Admiral
Linienschiffskapitän	Captain (Commodore)
Fregattenkapitän	Captain
Korvettenkapitän	Commander
Linienschiffsleutnant	Lieutenant (senior)
Fregattenleutnant	Lieutenant (junior)
Korvettenleutnant	Sub-Lieutenant
Seefähnrich	Midshipman
Seekadett	NavalCadet

Anmerkungen
Notes

Anmerkungen - Notes

1. E. g. Emil Seelinger, Theresienritter ohne Theresienorden: Die Heldenfamilie derer von Eiss. In: Neues Wiener Journal, 23. Februar 1930, 13f.
2. Klaus Lohrmann (ed), 1000 Jahre österreichisches Judentum (=Studia Judaica Austriaca IX, Eisenstadt: Österr. Jüdisches Museum, 1982), 69, 304; J. Friedrich Battenberg, Des Kaisers Kammerknechte: Gedanken zur rechtlich-sozialen Situation der Juden in Spätmittelalter und früher Neuzeit. In: Historische Zeitschrift 245/3 (1987), 545-599.
3. H. Graetz, Geschichte der Juden von den ältesten Zeiten bis auf die Gegenwart X: Von der Dauernden Ansiedlung der Marranen in Holland (1618) bis zum Beginn der Mendelsohnschen Zeit (1750), (Leipzig: Oskar Leiner, 3. verm. u. verb. Aufl. 1896), 47.
4. Kriegsarchiv Wien (=KA), HKR Prot 1785 D, fol. 2276: Hofkriegsrat an Hofkanzlei, 1785 November 16.
5. Klaus Lohrmann, Die Judenverfolgungen zwischen 1290 und 1420 als theologisches und soziales Problem. In: Erich Zöllner (ed), Wellen der Verfolgung in der österreichischen Geschichte (= Schriften des Institutes für Österreichkunde 48, Wien: Bundesverlag, 1986), 41-51, 47f.
6. Derek McKay, Prinz Eugen (Graz: Styria, 1979), 135, 151; KA: HKR Prot 1756 G, fol. 1021, 2546.
7. Anna M. Drabek, Das Judentum der böhmischen Länder vor der Emanzipation. In: Studia Judaica Austriaca X (Eisenstadt: Österr. Jüdisches Museum, 1984), 5-30: 22-27.
8. Lohrmann, 1000 Jahre, 332, 336; Kurt Schubert, Das österreichische Judentum - seine Geschichte, seine Kultur, sein Schicksal. In: Das Österreichische Jüdische Museum (Eisenstadt: Österr. Jüdisches Museum, 1988), 18f.
9. Joseph Karniel, Jüdischer Pseudomessianismus und deutsche Kultur (= Jahrbuch des Institutes für Deutsche Geschichte der Universität Tel-Aviv, Beiheft 4, 1983), 31-54.
10. Dolf Lindner, Der Mann ohne Vorurteil: Joseph von Sonnenfels 1733-1817 (Wien: Bundesverlag, 1983), 18-20; George Weis, Joseph von Sonnenfels - der "Nikolsburger Jude". In: Das Jüdische Echo: Zeitschrift für Kultur und Politik, XXXIII/1 (September 1984/Elul-Tischri 5745), 104-108.
11. Joseph Karniel, Die Toleranzpolitik Kaiser Josephs II. (= Schriftenreihe des Instituts für Deutsche Geschichte der Universität Tel-Aviv, 9, Gerlingen: Bleicher, 1986).
12. KA: HKR 1788 38-1182: Hofkanzlei an Hofkriegsrat, 1788 Juni 14.
13. Karl Pribram, Geschichte der österreichischen Gewerbepoliktik von 1740 bis 1860, XI. Bd.: 1740-1798 (Leipzig: Duncker & Humblot, 1907), 357: Zirkular, 1781 Mai 16; KA: HKR 1788 38-1182: Hofkriegsrat an Hofkanzlei, 1788 Juni 28.

14. Manfried Rauchensteiner, Menschenführung im kaiserlichen Heer von Maria Theresia bis Erzherzog Carl. In: Menschenführung im Heer (= Vorträge zur Militärgeschichte 3, Herford-Bonn: E. S. Mittler, 1982), 15-40.

15. Johann Christoph Allmayer-Beck, Das Heerwesen unter Joseph II. In: Österreich zur Zeit Kaiser Josephs II.: Mitregent Kaiserin Maria Theresias, Kaiser und Landesfürst (= Katalog des NÖ. Landesmuseums, N. F. 95, Wien 1980), 39-44; Joh. Christoph Allmayer-Beck/Erich Lessing, Das Heer unter dem Doppeladler: Habsburger Armeen 1718-1848 (München: C. Bertelsmann, 1981), 141-160; Antonio Schmidt-Brentano, Die Armee in Österreich: Militär, Staat und Gesellschaft 1848-1867 (= Militärgeschichtliche Studien 20, Boppard am Rhein: H. Boldt, 1975), 65f; Monika Schmidl, Studien zur Geschichte von Oberhautzental, NÖ (phil. Diss. Wien 1983), 83f.

16. Allmayer-Beck, Heer unter dem Doppeladler, 151.

17. Karniel, Toleranzpolitik, 390f, 450f; Wolfgang Häusler, Das österreichische Judentum im Zeitalter der josephinischen Toleranz. In: Österreich zur Zeit Kaiser Josephs II., 166-169.

18. Wolfgang Häusler, Das galizische Judentum in der Habsburgermonarchie (Wien: Verlag für Geschichte und Politik, 1979), 18; KA: HKR 1788 47-326: Hofkriegsrat an Kaiser, Wien 1788 April 24.

19. KA: HKR Prot 1785 D 2276 (91. Sessio, 1785 November 16, Nr. 3810); HKR 1785 16-887: AH. Entschließung, Wien 1785 Dezember 5.

20. Franz Breitwieser, Geschichte der k. u. k. Train-Truppe: Chronik der wichtigeren Ereignisse und Verfügungen über ihre Entwicklung (Wien: Verlag des k. u. k. Trainregiments Nr.1, 1904), 3-8, 31f, 69; Schmidt-Brentano, Armee, 65f; F. V. Schöffel, Fahrendes Kriegsvolk: Ein Buch vom Train (Wien: Ed. Bauer, 1935), 31f.

21. KA: HKR Prot 1787 A, fol. 557.

22. KA: HKR 1788 47-198; Rudolf v. Hödl, Die Juden im österreichisch-ungarischen Heere (KA: Nachlässe B 460/11), 9f.

23. KA: HKR 1788 47-532: Hofkanzlei an Hofkriegsrat, 1788 Juli 7.

24. KA: HKR 1788 47-267: Hofkanzlei an Hofkriegsrat, 1788 März 26.

25. KA: HKR 1790 47-617: Hofkriegsrat an Hofkanzlei, 1790 Juli 8.

26. Karniel, Toleranzpolitik, 444-449.

27. KA: HKR 1789 47-306: Hofkanzlei an Hofkriegsrat, 1789 April 9; Joseph Karniel, Das Toleranzpatent Kaiser Josephs II. für die Juden Galiziens und Lodomeriens. In: Jahrbuch des Instituts für Deutsche Geschichte der Universität Tel-Aviv, XI (1982), 55-89; Judenordnung, Par. 49.

28. KA: HKR 1788 47-441: Hofkriegsrat an Hofkanzlei, 1788 Juni 14.

29. KA: HKR 1789 9-246: AU. Vortrag, 1789 August 27.

30. Gerson Wolf, Die Militärpflicht der Juden. In: Ben Chanaja. Wochenblatt für Jüdische Theologie, V (Szegedin 1862), 61-63; Gerson Wolf, Wie wurden die Juden in Österreich militärpflichtig? In: Kalender für Israeliten auf das Jahr

5628 (1867/68) nach Erschaffung der Welt samt den rituellen Gebräuchen (= Beilage zum Wiener Jahrbuch für Israeliten, N.F. 3, Wien 1867), 34-66.

31. Moritz Frühling, Wiener Juden für die österreichisch-ungarische Armee. In: Ost und West, X (1910), 539-546: 541f.

32. KA: HKR 1790 47-698; Karniel, Toleranzpolitik, 452f, 533f; Michael Silber, Absolutism, Hungary and the Jews: A Comparative Study of Military Conscription of the Jews in the Habsburg Lands (1788-1815) (M. A. thesis, Columbia University, ca. 1980), 16-18, 25f.

33. Peter Broucek (ed), Ein General im Zwielicht: Die Erinnerungen Edmund Glaises von Horstenau, I (= Veröffentlichungen der Kommission für neuere Geschichte Österreichs, 67, Wien-Köln-Graz: Böhlau, 1980), 81f; Theodor R. v. Zeynek, Aus dem Leben eines österreichisch-ungarischen Generalstabsoffiziers (KA: Nachlässe B 151/Nr.2), 101.

34. KA: HKR 1790 47-698; Silber, Absolutism, 16-22.

35. KA: HKR 1790 47-410; Silber, Absolutism, 26f, 50-53.

36. Hödl, Juden, 25-38; A. F. Pribram, Urkunden und Akten zur Geschichte der Juden in Wien, I (= Quellen und Forschungen zur Geschichte der Juden in Deutsch-Österreich, VIII, Wien-Leipzig 1918), cxvif.

37. Wenzel Zacek, Zu den Anfängen der Militärpflichtigkeit der Juden in Böhmen. In: Jahrbuch der Gesellschaft für Geschichte der Juden in der CSR, 7 (1935), 265-303: 279; Silber, Absolutism, 29f.

38. KA: HKR 1792 47-343; HKR 1794 47-20; HKR 1796 47-898; HKR Prot 1797 D, folg. 5943; HKR 1799 7-437; HKR 1806 D 8-154; A. Pribram, Urkunden, II, 108-118; Silber, Absolutism, 32-35, 40f.

39. A. F. Pribram, Urkunden, I, cxvi.

40. KA: HKR 1799 47-1102; HKR 1000 7-161; HKR 1800 47-82.

41. Schmidt-Brentano, Armee, 65-73; Hödl, Juden, passim.

42. The Jewish Encyclopedia: A Descriptive Record of the History, Religion, Literature, and Customs of the Jewish People from the Earliest Times (New York: Ktav, n.d. (ca. 1905), II, 125-128; Encyclopaedia Judaica (Jerusalem 1971), Vol. 11, 1550-1576; Jüdisches Lexikon: Ein enzyklopädisches Handbuch des jüdischen Wissens in vier Bänden (Berlin: Jüdischer Verlag, 1930), IV/1, 182-191; Siegmund Kaznelson (ed), Juden im deutschen Kulturbereich: Ein Sammelwerk (Berlin: Jüdischer Verlag, 2. stark erw. Ausg. 1959), 798-824.

43. KA: HKR 1788 47-267: Hofkanzlei an Hofkriegsrat, 1788 März 26.

44. KA: HKR 1788 47-326: 1788 April 26.

45. Wolf, Militärpflicht, 61-63.

46. Judenordnung Galizien, Par. 49; Zacek, Zu den Anfängen, 275.

47. Hödl, Juden, 82.

48. KA: KM Präs 1888 34-9.

49. -au-, "Sonntagsruhe". In: Vedette, 1902 April 26, 1.

50. Interview David I. Neumann, Rust, 1988 Mai 26.

51. Judenordnung Galizien, Par. 49.

52. KA: HKR 1789 47-386; HKR 1790 Prot A, fol. 16, 206.

53. Christoph Tepperberg, Mannschaftsmenage: Über das Essen und Trinken in den Kasernen der k. und k. Armee. In: Mitteilungen des Österreichischen Staatsarchivs, 39 (1986), 90-113: 104.

54. KA: KM 1874, 2. A., 48-15/1,2.

55. Ibid.

56. KA: HKR 1788 47-326: Hofkriegsrat an Kaiser, 1788 April 24.

57. Wolf, Militärpflicht, 61-63.

58. KA: HKR Prot 1788 A, fol. 614 f: Galizisches Conscriptions-Protokoll, Hofkriegsrat an Hofkanzlei 1788 Sept. 13; Ascher Samter (ed), Mischnajot: Die 6 Ordnungen der Mischna (Basel, 3. Aufl. 1968), Traktat Kelaim IX/7,9.

59. A. D. Borum, Zopf und Bart. In: Streffleurs Österreichische Militärische Zeitschrift, XLI. (= 76.) Jg. (1900), IV, 56-64.

60. KA: HKR 1805 D 2-139/19: Hofkriegsrat an Ungarische/siebenbürg. Hofkanzlei, 1805 Februar 8.

61. Josef Leb, Aus den Erinnerungen eines Trainoffiziers (KA: Nachlässe B 580), 35; Leo Schuster, "... Und immer wieder mußten wir einschreiten!" Ein Leben "im Dienste der Ordnung". Ed. Peter Paul Kloß (Wien-Köln-Graz: Böhlau, 1986), 58-73, 81-85.

62. Hödl, Juden, 46-51.

63. Silber, Absolutism, 42, 55f; A. F. Pribram, Urkunden, II, 108-110.

64. KA: HKR 1805 D 2-139/19.

65. KA: HKR K1 - 5/109: Hofkriegsrat an Hofkanzlei, 1818 Nov. 21.

66. KA: HKR 1797 17-178; 1797 17-125; 1788 17-194; 1788 17-199; 1801 31-568.

67. KA: HKR 1806 A 1-9/196: AH. Resolution 1806 April 26.

68. KA: HKR 1799 27-243; Hödl, 61; Schubert, Das österreichische Judentum, 25f.

69. KA: HKR 1811 J 1-66/64.

70. Schmidt-Brentano, Armee, 67.

71. KA: HKR Prot 1789 D, fol. 1196; HKR 1795 3-1282; HKR Prot 1795 G, fol, 3970; HKR 1799 31-266; HKR Prot 1799 G, folg. 2684, 6019, 6653, 9069.

72. KA: HKR 1815 G 1 7/657: Peter Beer an Hofkriegsrat, Prag 1815 April 30, Hofkriegsrat an Peter Beer, Wien 1815 Mai 13.

73. Wolfgang v. Weisl, Juden in der österreichischen und österreichisch-ungarischen Armee. In: Zeitschrift für die Geschichte der Juden, VIII (1971), 1-22: 6; KA: Musterlisten-Kartei, Musterlisten HR 4 (ML-Fasz. 594): Maximilian Arnstein.

74. Johann Christoph Allmayer-Beck, Menschenführung in der kaiserlich österreichischen Armee vom Wiener Kongreß bis zum Ersten Weltkrieg. In: Menschen-

führung im Heer (= Vorträge zur Militärgeschichte 3, Herford-Bonn: E. S. Mittler, 1982), 62-80.

75. KA: HKR 1822 1-37/40: Hofkriegsrat an das Kommando der Armee in Unteritalien, Wien 1822 April 19.

76. KA: HKR 1823 2-7/23: Josephs-Akademie an Hofkriegsrat, 1823 Juli 23.

77. KA: HKR 1825 2-33/23: Hofkriegsrat an Generalkommando Wien und Oberfeldärztliche Direktion, 1825 Mai 31.

78. Hödl, Juden, 83f.

79. Hofkriegsrat an Militärkommando Slawonien, 1838 August 31.

80. István Deák, The Lawful Revolution: Louis Kossuth and the Hungarians, 1848-1849 (New York: Columbia University Press, 1979), 113-117.

81. William O. McCagg Jr., Jewish Nobles and Geniuses in Modern Hungary. (= East European Monographs III, Boulder, Co., 1972, repr. 1986), 85f, 138; Weisl, Juden, 10.

82. Robert Hein, Studentischer Antisemitismus in Österreich (Beiträge zur österreichischen Studentengeschichte, 10, Wien: Verein für Studentengeschichte, 1984), 10-11.

83. Wolfgang Häusler, Die Revolution von 1848 und die österreichischen Juden: Eine Dokumentation (= Studia Judaica Austriaca I, Wien: Österr. Jüdisches Museum, 1974), 56-59.

84. Frühling, Wiener Juden, 541f.

85. KA: Conduitelisten DR 2: 130/1849 (Fasz. 539/I), HR 2-II: 131/850a (Fasz. 565/I), HR 2: 1859 (Fasz. 583/I); Qualifikationsliste (Fasz. 2874): Carl Straß.

86. KA: KM Präs 1850 MK 3663; Hödl, Juden, 102, 105.

87. KA: KM Präs 1865 K 15-29/18: Inspizierungsbericht EH Albrechts, Wien 1865 Oktober 20.

88. KA: KM Präs 1866 CK 65-44/1; KM Präs 1866 268 and 592; KM Präs 1867 47-13&13/2; Ben Chananja: Zeitschrift für jüdische Theologie und für jüdisches Leben in Gemeinde, Synagoge und Schule, Vol. 9 (Szegedin 1866), Nr. 36. Sp. 633-635.

89. The Jewish Encyclopedia: A Descriptive Record of the History, Religion, Literatur, and Customs of the Jewish People from the Earliest Times (New York: Katav, n. d. (ca. 1905)), II, 127.

90. Frühling, Wiener Juden, 543.

91. KA: Qualifikationsliste Alexander v. Eiss (Fasz. 607); Seeliger, Theresienritter, 13f.

92. Schmidt-Brentano, Armee, 80-95.

93. Wolfdieter Bihl, Die Juden. In: Adam Wandruszka/Peter Urbanitsch (eds), Die Habsburgermonarchie 1848-1918, III (Wien: Akademie der Wissenschaften, 1980), 880-948: 881ff.

94. Militär-Statistisches Jahrbuch 1872ff; Bihl. Juden, 945.

95. KA: KM Präs 1870 26-4; Franz Forstner, Przemyśl: Österreich-Ungarns bedeutendste Festung (= Militärgeschichtliche Dissertationen österreichischer Universitäten 7, Wien: Bundesverlag, 1987), 36f; Hödl, Juden, passim.

96. KA: KM Präs 1871 26-15/2.

97. KA: KM Präs 1870 26-9/1.

98. Hödl, Juden, 115.

99. KA: KM Präs 1870 26-7/8; Wandruszka/Urbanitsch, Habsburgermonarchie III, Tab. 1,5.

100. Maximilian Paul-Schiff, Teilnahme der österreichisch-ungarischen Juden am Weltkriege: Eine statistische Studie. In: Jahrbuch für jüdische Volkskunde 1924-25 (= Mitteilungen zur jüdischen Volkskunde, 26-27), 151-156: 155; Schmidt-Brentano, Armee, 70f.

101. Bihl, Juden, 913.

102. Ibid; Militär-Statistisches Jahrbuch 1884ff.

103. Broucek, Glaise, 143.

104. KA: KM Präs 1886 15-2/3.

105. KA: KM Präs 1893 12-24; KM Präs 1903 26-11&14-5.6; KM Präs 1904 18-50; KM Präs 1909 20-19.

106. KA: KM Präs 1905 48-1/8; Reichskriegsministerium an Kaiserl. russ. Militärbevollmächtigten in Wien, Wien 1906 Jannuar 4.

107. Frühling, Wiener Juden, 541f.

108. Militär-Statistisches Jahrbuch, 1897ff.

109. Karl Kandelsdorfer, Der Adel im k. u. k. Offizierscorps. In: Militärische Zeitschrift (1897), 248-269.

110 Broucek, Glaise, 121, 129.

111. Wenzel Ruzicka, Soldat im Vielvölkerheer, ed. Edith Thöres (Freilassing: Grenzland-Druck, 1987), 26.

112. KA: Kriegsschule Fasz. 21.

113. E. Rubin, 140 Jewish Marshals, Generals & Admirals (London: 1952), 67ff.

114. KA: Qualifikationsliste E. R. v. Schweitzer (Fasz. 2685).

115. KA: Qualifikationsliste H. Ulrich (Fasz. 3060).

116. KA: Qualifikationsliste C. Schwarz (Fasz. 2678).

117. KA: Qualifikationsliste Dr. L. Austerlitz (Fasz. 69).

118. KA: Qualifikationsliste M. Maendl (Fasz. 1855); Peter Broucek, Maendl, In: Österreichisches Biographisches Lexikon V, 404.

119. KA: Qualifikationsliste A. Beer (Fasz. 155); Moritz Frühling, Biographisches Handbuch der in der k. u. k. österreichisch-ungarischen Armee und Kriegsmarine aktiv gedienten Offiziere, Ärzte, Truppen-Rechnungsführer und sonstigen Militärbeamten jüdischen Stammes (Wien: 1911), 7.

120. KA: Qualifikationsliste E. v. Eiss (Fasz. 607) und Grundbuchsblatt (Abg. 1921-1/94); Seeliger, Theresienritter, 13f; Weisl, Juden, 12.

121. KA: Qualifikationsliste S. Vogel; (Fasz. 3112); Frühling, Handbuch, 5ff; Rubin, 140 Jewish Marshals, 68.

122. Kaznelson, Juden, 798-824; Rubin, 140 Jewish Marshals; Weisl, Juden.

123. KA: MTO F IV/Nr. 49; Rubin, 140 Jewish Marshals, 62-64; Manfried Rauchensteiner, Die Schlacht bei Deutsch Wagram am 5. und 6. Juli 1809 (Militärhistorische Schriftenreihe Heft 36, Wien: Bundesverlag, 2. Aufl. 1983), 49f.

124. Rubin, 140 Jewish Marshals, 70; Information Dr. Tepperberg (KA).

125. KA: Qualifikationsliste Kornhaber (Fasz. 1546); Weisl, Juden, 16.

126. KA: KM Präs 1870 34-3/1: Reichskriegsministerium an Generalkommando Brünn, Wien 1870 Feb. 4; KA: Qualifikationsliste A. Lux (Fasz. 1845).

127. KA: KM Präs 1888 3-26/1+2; KA: Qualifikationsliste G. Eichinger (Fasz. 309).

128. Weisl, Juden, 3.

129. "Auf rot-weiß-roten Spuren in der Levante: Israel". ORF, 1986 Juli 18: Interview Olt. Rudolf Kohn.

130. "Für und wider den neuen Verein", Danzer's Armee-Zeitung, 1900 Mai 3, 2f; "Ein Duell", Armeeblatt, 1901 Okt. 16,2.

131. KA: Qualifikationsliste W. Bardach (Fasz. 107).

132. Monatsschrift der Österreichischen-Israelitischen Union, 16. Jg./Nr. 8/9 (Wien, August-September 1904), 25.

133. Robert Trimmel, Aufzeichnungen (KA: Nachlässe B 385/I), fol. 49r.

134. Zeynek, Aus dem Leben, 100ff; Robert A. Kann, The Social Prestige of the Officer Corps in the Habsburg Empire from the Eighteenth Century to 1918, 113-137: 116f; Gunther E. Rothenberg, The Army of Francis Joseph (West Lafayette: Purdue University Press, 1976), 118; Schmidt-Brentano, Armee, 282f.

135. Armeeblatt, 1901 Okt. 16,9.

136. Broucek, Glaise, 293.

137. A. v. E., Offene Wort über die Oesterreichisch-ungarische Armee in ihrem Verhältnis zum Deutschen Reichsheer. Auf Grund eigener Beobachtungen (Leipzig: Rauert & Rocco, 1891), 31f.

138. Monatsschrift der Oesterreichisch-Israelitischen Union, 16. Jg./Nr. 4 (Wien, Mitte August 1904), 2.

139. Weisl, Juden, 14.

140. Broucek, Glaise, 293, 96ff.

141. Rothenberg, Army of Francis Joseph, 151.

142. Conrad von Hötzendorf, Private Aufzeichnungen: Erste Veröffentlichungen aus den Papieren des k. u. k. Generalstabs-Chefs. Bearbeitet und herausgegeben von Kurt Peball (Wien-München: Amalthea 1977), 19f, 313f, 288f, 314.

143. Paul-Schiff, Teilnahme.

144. McCagg, Jewish Nobles, 179.

145. Militär-Statistisches Jahrbuch, 1884ff; Frühling, Handbuch, 207ff.

146. Frühling, Handbuch, 208.

147. Ibid., 207f.

148. Broucek, Glaise, 76; Julius Gerö, Verfahren in Heiratsangelegenheiten der Officiere und Beamten des k. u. k. Heeres, der k. u. k. Kriegsmarine, der k. k. Landwehr und der k. k. Gendarmerie (Budapest, 2. Aufl. 1904).

149. KA: Qualifikationsliste H. Daler (K. 413); Information A. Sternfeld.

150. Gustav Otruba, Die Nationalitäten- und Sprachenfrage des höheren Schulwesens und der Universitäten als Integrationsproblem der Donaumonarchie (1863-1910). In: Richard Georg Plaschka-Karlheinz Mack (eds), Wegenetz europäischen Geistes: Wissenschaftszentren und geistige Wechselbeziehungen zwischen Mittel- und Südosteuropa vom Ende des 18. Jahrhunderts bis zum Ersten Weltkrieg (= Schriftenreihe des österr. Ost- und Südosteuropa-Instituts VIII, Wien: Verlag für Geschichte und Politik, 1983), 88-106.

151. Militär-Statistisches Jahrbuch, 1897ff.

152. Werner T. Angress, Prussia's Army and the Jewish Reserve Officer Controversy Before World War I. In: Leo Baeck Institute Yearbook, XVII (1972), 19-42; Rolf Vogel, Ein Stück von uns: Deutsche Juden in deutschen Armeen 1813-1976. Eine Dokumentation (2. Aufl. 1977).

153. Paul-Schiff, Teilnahme; Information Univ. Prof. Dr. István Deák.

154. Leb, Erinnerungen, 35.

155. Hein, Studentischer Antisemitismus, XI. 53-60, XVIf.

156. Siegfried Trebitsch, Chronik eines Lebens (Zürich-Stuttgart-Wien: Artemis, 1951), 40f.

157. Franz Gall, Alma Mater Rudolphina 1365-1965: Die Wiener Universität und ihre Studenten (Wien 1965).

158. Unverfälschte Deutsche Worte 5 (März 1895), 7 (April 1896).

159. Lohrmann, 1000 Jahre, 378; Schnitzler in: Die Presse, 1959 Dez. 15.

160. - e -, "Lieutenant Gustl", Österreichisch-ungarische Heereszeitung, 1.7. 1901, 2f.; Hubert Mader, Duellwesen und altösterreichisches Offiziersethos (= Studien zur Militärgeschichte, Militärwissenschaft und Konfliktforschung 31, Osnabrück: Biblio, 1983).

161. Militär-Statistisches Jahrbuch, 1894ff.

162. KA: KM Präs 1876 20-18/2.

163. Weisl, Juden, 11.

164. George Clare, Das waren die Klaars: Spuren einer Familie (Berlin-Frankfurt-Wien: Ullstein, 1980), 70ff.

165. KA: Qualifikationsliste Dr. M. Waldstein (Fasz. 3146).

167. Leopold Herz, Der Sanitätsdienst bei der englischen Armee im Kriege gegen die Buren (Wien: Safár, 1902); Erwin A. Schmidl, From Paardeberg to Przemyśl:

Austria-Hungary and the Lessons of the Lessons of the Anglo-Boer, War, 1899-1902. In: Jay Stone/Erwin A. Schmidl, The Boer War and Military Reforms (= Atlantic Studies on Society in Change 51, Lanham-New York-London: University Press of America/Atlantic Research and Publications, 1988), 294.

168. Ernst R. v. Rutkowski, Dr. Siegfried Plaschkes - Arzt im Weltkrieg 1914-1918. In: Zeitschrift für die Geschichte der Juden, X (1973), 173-180.

169. Frühling, Handbuch, 213; Die "Tegetthoff"-Klasse: Österreichisch-Ungarns größte Schlachtschiffe (Wien-Mistelbach: Arbeitsgemeinschaft für österreichische Marinegeschichte, 1979).

170. Hödl, Juden, 111.

171. Julius Hanak, Die evangelische Militärseelsorge im alten Österreich unter besonderer Berücksichtigung ihrer Eingliederung in den kirchlichen Verband. In: Jahrbuch der Gesellschaft für die Geschichte des Protestantismus in Österreich, 87/88 (Wien: Evangelischer Presseverband, 1974), 3-212: 30f, 49-51.

172. KA: KM Präs 1875 75-17/2&4.

173. KA: KM Präs 1896 34-16/1.

174. Adjustierungsvorschrift für das k. u. k. Heer, VII. Teil (Wien 1911). Schematismus für das k. u. k. Heer und für die k. u. k. Kriegsmarine für 1914 (Wien: Februar 1914), 1138; Ranglisten des kaiserlichen und königlichen Heeres 1918 (Wien 1918), 1674f.

175. Alexander Altmann, Adolf Altmann (1879-1944): A Filial Memoir. In: Leo Baeck Institute Yearbook, XXVI (London: Secker & Warburg 1981), 145-167: 155; KA: AOK-GFPO 42663 (1918).

176. Information Meir Färber.

177. Ernst R. v. Rutkowski, Einer der tapfersten Offiziere im Regimente: Oberleutnant in der Reserve Dr. Siegfried Frisch im Weltkrieg 1914-1918. In: Zeitschrift für die Geschichte der Juden, VII (1970), 97-129: 98ff; Paul-Schiff, Teilnahme, 155.

178. KA: NFA Festungskommando Przemyśl, Fasz. 1346: K. u. k. Brückenkopfkommando Przemyśl, Reservat-Verlautbarung, 1916 Mai 27; Franz Forstner, Przemyśl: Österreich-Ungarns bedeutendste Festung (= Militärgeschichtliche Dissertationen österreichischer Universitäten 7, Wien: Bundesverlag, 1987), 281.

179. Ruzicka, Soldat im Vielvölkerheer, 76.

180. Information Maj. H. H. Schweitzer (Diss. in Arbeit).

181. Ilse Stiaßny-Baumgartner, Roda Rodas Tätigkeit im Kriegspressequartier: Zur propagandistischen Arbeit österreichischer Schriftsteller im Ersten Weltkrieg (phil. Diss. Wien 1982), 3, 22-29.

182. Wolfgang v. Weisl, Skizze zu einer Autobiographie (= Schriftenreihe des Zwi Perez Chajes-Institutes, Tel-Aviv 1971), 36.

183. Albert Lorenz, Alte Autos - junge Liebe (Wien: Kremayr & Scheriau, 1963), 220-227; KA: Kriegsüberwachungsamt No. 738/X: K. k. Polizei-Direktion in Wien, Staatspolizei: Protokoll, aufgenommen am 9. August 1914 mit Menasche Baron; Heinz-Dietrich Löwe, Antisemitismus und reaktionäre Utopie: Russi-

scher Konservatismus im Kampf gegen den Wandel von Staat und Gesellschaft (= Historische Perspektiven 13, Hamburg: Hoffmann & Campe 1978), 146-150.

184. E. M. Lilien, Briefe an seine Frau, 1905-1925, Hrsg. v. Otto M. Lilien und Eve Strauss (Königstein/Ts.: Jüdischer Verlag Athenäum, 1985), 13f, passim.

185. Ernst R. v. Rutkowski, Dem Schöpfer des österreichischen Reiterliedes, Leutnant i.d. Res. Dr. Hugo Zuckermann, zum Gedächtnis. In: Zeitschrift für die Geschichte der Juden, X (1973), 93-104; Jüdisches Kriegsgedenkblatt, Heft 2 (1914/15), 68-76.

186. Österreich-Ungarns Letzter Krieg, I (Wien 1930), Einleitung; Fritz Franek, Die Entwicklung der öst. ung. Wehrmacht in den ersten zwei Kriegsjahren. Ergänzungsheft 5 zum Werke Österreich-Ungarns Letzter Krieg (Wien 1933), 6f.

187. Rubin, 140 Jewish Marshals, 17.

188. Paul-Schiff, Teilnahme, 152.

189. Ernst R. v. Rutkowski, Aron Schapira: Ein Unteroffizier im Weltkrieg 1914-1918. Träger der Goldenen Tapferkeitsmedaille. In: Zeitschrift für die Geschichte der Juden, IX (1972), 53-64.

190. Die Gemeinde, Nr. 302 (25. Februar 1983 - 12. Adar 5743), 17; Kurier, 1984 November 25.

191. KA: Mannschaftsbelohnungsanträge 100/4843/17, fol. 67-69.

192. Paul-Schiff, Teilnahme, 154.

193. Adolf Gaisbauer, Davidstern und Doppeladler: Zionismus und jüdischer Nationalismus in Österreich 1882-1918) Wien-Köln-Graz: Böhlau, 1988), 523-526.

194. Clare, Das waren die Klaars, 35.

195. Jonny Moser, Die Katastrophe der Juden in Österreich 1938-1945 - ihre Voraussetzungen und ihre Überwindung. In: Der gelbe Stern in Österreich (Studia Judaica Austriaca V, Eisenstadt: Österr. Jüdisches Museum, 1977), 67-134: 68-71; Jonny Moser, Ostjüdischer Flüchtlinge in Wien des Ersten Weltkrieges. In: Das Jüdische Echo: Zeitschrift für Kultur und Politik, XXXIII/1 (September 1984/Elul-Tischri 5745), 93-96.

195. Bruno Brehm, Der Pfefferkuchenreiter. In: Das gelbe Ahornblatt: Ein Leben in Geschichten (Karlsbad-Drahowitz-Leipzig 1931), 54-67.

197. Dieter A. Binder, Der "reiche Jude": Zur sozialdemokratishen Kapitalismuskritik und deren antisemitischen Feindbildern in der Ersten Republik. In: Geschichte und Gegenwart, IV (1985), 43-53.

198. Rudolf Jeremias Kreutz, Die Krise des Pazifismus, des Antisemitismus, der Ironie (Wien-Leipzig: Saturn, 1931), 79f.

199. Moser, Katastrophe, 93.

200. N. M., Geist und Judentum. In: Danzer's Armee-Zeitung, 1919 Nov. 22.

201. Martin O'Connor, Air Aces of the Austro-Hungarian Empire 1914-1918 (Falcon Field, Mesa, Arizona: Champlin Fighter Museum Press, 1986), 21-23.

202. KA: ÖBH Personalakt E. Sommer; Rubin, 140 Jewish Marshals, 73; Weisl, Juden, 13.

203. KA: ÖBH Personalakt J. Friedländer.

204. Peter Huemer, Sektionschef Robert Hecht und die Zerstörung der Demokratie in Österreich: Eine historisch-politische Studie (Wien: Verlag für Geschichte und Politik, 1975), 131-135.

205. Max Thurn, Lange Nacht im Salzkammergut. In: Wiener Journal 46/47 (Juli/August 1984), 17.

206. Erwin Tramer, Der Republikanische Schutzbund: Seine Bedeutung in der politischen Entwicklung der Ersten Österreichischen Republik (phil. Diss., Erlangen-Nürnberg 1969), 270.

207. Drei Jahre BJF - Bund Jüdischer Frontsoldaten Österreichs (Wien 1935).

208. Erwin A. Schmidl, März 38: Der deutsche Einmarsch in Österreich (Wien: Bundesverlag, 2. Aufl. 1988), 221.

209. Vogel, Ein Stück von uns, 229-262.

210. Christoph Tepperberg, "... 27. VIII. 1942 nach Theresienstadt abgemeldet." - Oberst Otto Grossmann 1873-1942: Laufbahn und Ende eines k. u. k. Offiziers jüdischer Herkunft. In: Mitteilungen des Österreichischen Staatsarchivs, 41/42 (1988/89).

211. Information Albert Sternfeld.

212. Information Univ. Prof. Dr. Jehuda L. Wallach.

213. Weisl, Versuch; Information Meir Färber.

Nachwort und Dank
Acknowledgements

Nachwort und Dank

Am Ende einer derartigen Arbeit ist es die angenehme Aufgabe des Verfassers, all' jenen zu danken, die das Zustandekommen dieser Studie unterstützt und gefördert haben. Stellvertretend seien genannt:

HR Dr. Johann Christoph Allmayer-Beck
Heinrich Berger
Mag. Susanne Bock
Dr. Peter Broucek
Univ. Prof. Dr. István Deák, New York
Dr. Rainer Egger
Obstlt Günter Ellersdorfer
Dr. Wolfgang Etschmann
Meir Färber, Tel - Aviv
Dr. Adolf Gaisbauer
Rav. Eleazar Gelbshtein, Jerusalem
Dr. Michael Heymann, Jerusalem
HR Dr. Erich Hillbrand
Univ. Prof. Dr. Karl Holubar
Dr. Wolfgang Janele
Dr. Lonnie Johnson
Peter Jung
Fritz Kleinmann
Dr. Reuben Koffler, Jerusalem
Dr. Dr. Nikolaus Krivinyi
Ing. Michael Kunerth
Robert M. Landesmann
Obstlt Mag. Georg Lechner
Dr. Klaus Lohrmann
Dipl. Graph. Erwin Moravitz, Oberwart
OStv Franz Muschitz
David Ignatz Neumann, Tel - Aviv/Basel

Acknowledgements

At the end of a publication of this nature, it is the author's pleasure to express his gratitude to all those who promoted and contributed to his efforts, often providing invaluable impetus and information:

Dagmar Ostermann
AR Josef Patek
Dr. Helmut Prugger
Dr. Wolfgang Punz
Ari Rath, Jerusalem
Univ. Doz.
Dr. Manfried Rauchensteiner
Mag. Nikolaus Reiss
Karl Rossa
Dr. Ernst R. v. Rutkowski
Ing. Otto Schefczik
Dr. Monika Schmidl
Univ. Prof. Dr. Kurt Schubert
Karl Seelos
Brig Karl Semlitsch
Dr. Michael Silber, Jerusalem
Albert Sternfeld
HR Dr.Dr. Elfriede Sturm
Horst Taitl
Dr. Christoph Tepperberg
Miriam Terespolsky
ADir Robert Veinfurter
Dr. Nikolaus Vielmetti
Univ. Prof.
Dr. Jehuda L. Wallach, Tel - Aviv
Mag. Birgit Wörnhör

An Institutionen seien vor allem das Kriegsarchiv in Wien und die an diesem Projekt beteiligten Dienststellen des Bundesministeriums für Landesverteidigung erwähnt.

The staff of the War Archives in Vienna was helpful as ever while the cooperation by various offices of the Ministry of Defence was invaluable.

Diese Untersuchung basiert zum Teil auf früheren Forschungen, die in zwei Aufsätzen puliziert wurden:

This study is partially based on two earlier articles:

Erwin A. Schmidl, Jews in the Austro-Hungarian Armed Forces. In: War and Society in East Central Europe, Vol. XXII (= Atlantic Studies on Society in Change, No. 41, Boulder and Highland Lakes: Social Science Monographs and Atlantic Research and Publications, distributed by Columbia University Press, New York, 1987), 69-84;

und / and

Erwin A. Schmidl, Jews in the Austro-Hungarian Armed Forces, 1867 - 1918. In: Studies in Contemporary Jewry: An Annual, Vol. III (New York-Oxford: Oxford University Press, 1987), 127-146.

Den Herausgebern dieser beiden Arbeiten,

My sincere thanks go to the respective editors,

Gen. a. D. Univ. Prof. (emer.) Dr. Béla Király
und / and
Univ. Prof. Dr. Ezra Mendelsohn,

danke ich für ihr Einverständnis, Teile dieser Aufsätze für die vorliegende Publikation zu verwenden.

for their permission to use parts of these articles for this publication.

Erwin A. Schmidl
Wien, Oktober 1988

Anhang
Appendix

Anhang / Appendix 1:

Rede des Rabbiners Ezechiel Landau an die ersten jüdischen Rekruten aus Prag, 1789

Speech by Rabbi Ezechiel Landau to the First Jewish Recruits from Prague, 1789

Rede des Rabbiners Ezechiel Landau an die ersten jüdischen Rekruten aus Prag, 1789

Speech by Rabbi Ezechiel Landau to the First Jewish Recruits from Prague, 1789

"Meine Brüder, die Ihr immer meine Brüder waret, noch jetzt es seid und es sein werdet, so lange Ihr fromm und rechtschaffen handelt. Gott und unser allergnädigster Kaiser wollen, daß Ihr zum Militär genommen werdet. Schicket Euch daher in Euer Schicksal, folget ohne Murren, gehorchet Euren Vorgesetzten, seid treu aus Pflicht und geduldig aus Gehorsam.

Vergesset aber nicht Eure Religion. Schämet Euch nicht, Juden zu sein unter so vielen Christen. Betet Gott täglich gleich bei Eurem Aufstehen an. Gottes Dienst geht vor Allem, der Kaiser selbst ist schuldig, Gott anzubeten, und alle seine Diener, die gegenwärtigen und die abwesenden, beten täglich ihren Schöpfer an. Schämet Euch dieser Zeichen der Religion nicht (hier übergab er jedem Soldaten ein Paar Teffilin*) ein Päckchen Zizis **) und ein Gebetbuch)! Habet Ihr Zeit, so betet täglich was ein Jude zu beten verpflichtet ist, wie Ihr bereits wisset; habet Ihr aber nicht Zeit, so leset wenigstens das Schema.

Den Sabbat könnet Ihr auch halten, wenn sich's thun läßt, indem ich höre, daß Ihr an diesem Tage meist rasten werdet. Die Wagen schmieret immer Freitag vor Abend. Thuet überhaupt alles am Freitag, was sich thun läßt. Lebet in Eintracht mit Euren christlichen Kameraden. Sehet, daß Ihr sie Euch zu Freunden machet. Dann werden sie am Sabbate für Euch Dienst thun, Ihr aber werdet für sie am Sonntage, wo sie als Christen zu feiern schuldig sind, arbeiten.

Anmerkungen:

**) Teffilin (Gebetsriemen): Schwarze Lederriemen mit schwarzen Gebetskapseln, die der männliche Jude beim Morgengebet am Wochentag am linken Arm und an der Stirn festbindet.*

***) Zizis: Etwa 20 cm lange Fäden, die an den Ecken des Gebetsmantels (Tallit) befestigt werden.*

Der Kaiser war so gnädig, zu sagen, das man Euch nie zwingen wird, Fleisch zu essen. Ihr könnet demnach immer von Butter, Käse und anderen erlaubten Speisen leben, bis Ihr zu Juden kommet, wo Euch dann Eure menschenfreundlichen Mitsoldaten erlauben werden, zu denselben zu gehen. Sollte jemand von Euch krank werden, so trachte er, sich so lange mit Thee zu erhalten, bis es die Nothwendigkeit erfordert Fleischbrühe zu sich zu nehmen. Im Uebrigen seid Gott immer treu im Herzen. Weichet in keinem Falle vom Glauben Eurer Väter, und dienet unserem allergnädigsten Landesfürsten mit gutem Willen und rastloser Thätigkeit.

Erwerbet Euch und unserer ganzen Nation Dank und Ehre, damit man sehe, daß auch unsere, bisher unterdrückte Nation ihren Landesfürsten und ihre Obrigkeiten liebe, und im Falle der Noth ihr Leben aufzuopfern bereit ist. Ich hoffe, daß wir durch Euch, wenn Ihre Euch, wie es jedem Unterthan geziemt, pflichtgetreu aufführet, auch noch jener Halbfesseln werden entlediget werden, die uns zum Theil noch drücken. Und welchen Ruhm und welche Ehre werdet Ihr alsdann nicht davontragen, bei allen rechtschaffenen Menschen so gut wie bei Euren Mitbürgern. Und hiermit will ich Euch noch meinen aus innigem Herzen emporsteigenden Segen ertheilen."

Quelle/Source: Gerson **Wolf,** Die Militärpflicht der Juden. In: *Ben Chananja, Wochenblatt für jüdische Theologie,* V (Szegedin 1862), 62f.

Anhang / Appendix 2:

Ansprache des Feldrabbiners Dr. Arnold Frankfurter an jüdische Soldaten aus Wien, 1917

Speech by Dr. Arnold Frankfurter to Jewish Soldiers from Vienna, 1917

Ansprache des Feldrabbiners Dr. Arnold Frankfurter an jüdische Soldaten aus Wien, 1917

Speech by Dr. Arnold Frankfurter to Jewish Soldiers from Vienna, 1917

. . . . Ihr seid nun im Begriffe, ins Feld zu ziehen, zu kämpfen für das Heil unseres teueren Vaterlandes, für den Ruhm unseres geliebten Obersten Kriegsherrn. Da rufe ich Euch zu, wie einst der Priester dem kampfbereiten Israel: „Sch'ma Jisroel. . .al jerach l'wawchem al tirou. . . . . Höret Israeliten! Es zage nicht Euer Herz, fürchtet Euch nicht; der Ewige, Euer Gott, geleitet Euch. (Deut. XX, 3—4)!" — — — — — — — — — —

Ich weiß es, Euch quält der Gedanke: Wie kann Gott mit uns sein, wenn wir nicht mit Gott sind? Wie kann der Segen des Herrn uns geleiten, wenn wir uns seines Segens unwürdig erweisen? Und doch, ich wiederhole Euch: Zaget nicht, fürchtet Euch nicht!

Kameraden, wir sind so glücklich, ein Vaterland unser nennen zu dürfen, das bestrebt ist, allen Bekenntnissen gleiche Rechte angedeihen zu lassen, das auch für unsere religiösen Bedürfnisse verständnisvoll sorgt. Bekundet nicht auch die erst jüngst erflossene Verfügung, daß den jüdischen Soldaten, wo es möglich ist, rituelle Kost verabreicht werde, Rücksichtnahme auf unser Bekenntnis? Wahrlich, dieses Entgegenkommen verpflichtet jeden jüdischen Soldaten zu innigem, aufrichtigem Danke gegen unseren Obersten Kriegsherrn und gegen die von seinem erhabenen Geiste beseelte Heeresverwaltung! Sicherlich, die Durchführung dieser Verordnung wird da und dort auf unüberwindliche Hindernisse stoßen; es wird nicht immer möglich sein, die uns heiligen Speisegesetze zu beobachten. Was dann? Sollt Ihr Euch kasteien, Euch durch Hunger entkräften? Nein, Soldaten, das wäre sündhaft! Denn uns Juden gilt als höchstes Gebot im Sinne des Schriftwortes zu leben: „W'nischmartem m'aud l'nafschaußechem. — Achtet auf Euere Gesundheit!" (Deut. IV, 15.) Und verfolgen nicht alle Gebote unserer Thora das Ziel, das Leben zu fördern, wie es im dritten Buche Moses, Kap. 18, Vers 5 heißt: . . .„Usch'martem eß chukaußai w'eß mischpotaj ascher ja'ße außom hoodom wochaj bohem ani Adonaj. . . — Beobachtet meine Satzungen und Gebote, es betätige sie jeder, auf daß er sich durch sie erhalte, ich bin der Ewige!" Und wie erst, wenn die Erhaltung der Gesundheit im Interesse des Vaterlandes und des Allerhöchsten Dienstes gelegen ist! Solltet Ihr darum das eine oder das andere Gebot zu übertreten genötigt sein, dann wisset, der Talmud lehrt: „. . . Auneß rachmono potreh. (Traktat Baba Kama, Fol. 29 b.) — Die Religion selbst befreit von der Erfüllung ihrer Gebote, wenn die unbedingte Notwendigkeit es erheischt." Und kann es für Soldaten eine zwingendere Notwendigkeit geben, als in dieser schweren Zeit dem gefährdeten Vaterlande mit allen Kräften zu dienen? Soldaten, ich sage Euch, es gibt kein heiligeres Gebot, als „Kidusch haschem", dem Judentum Ehre zu machen. Und wer entehrte mehr das Judentum, als derjenige, der den Verdacht erweckt, daß er die Religion bloß zum Vorwande nimmt, sich dem Dienste zu entziehen? Sündhaft wäre nur, die religiösen Satzungen aus falscher Scham, aus Gleichgültigkeit, aus Bequemlichkeit zu übertreten. Fasse jeder von Euch in dieser ernsten Stunde den heiligen Vorsatz, und jeder spreche mit dem Patriarchen Jakob: „Im jih'je elauhim imodi usch'morani baderech hase. . . w'schawti b'scholaum el beß owi w'hojo Adonaj li leholim. . . (Genesis, XXVIII, 20—21.) Wird Gott mit mir sein, werde ich heil zurückkehren, dann soll der Ewige mein Gott sein; dann will ich das durch die Not der Zeit Versäumte nachholen und in unerschütterlicher Treue an den von den Vätern ererbten Bräuchen und Gesetzen festhalten." Gott gebe Euch die Kraft, dieses

Gelübde einzulösen! Traget Gott in Euerem Herzen, bauet auf ihn, den Vater im Himmel! Der Gedanke an ihn, der fromme Glaube stärke und stähle Euch auf Euerem schweren Wege. So erfülle sich an Euch die Verheißung Gottes: „Hinne onauchi schauleach maloch l'fonecho lisch'morcho badorech... (Exodus XXIII, 20.) — Siehe ich sende meinen Engel vor Dir her, Dich zu behüten." So möget Ihr denn alle in Frieden, gesund an Leib und Seele, zurückkehren: Zu Vater und Mutter, zu Weib und Kind. Gott segne, Gott behüte Euch!

Amen!

Quelle/Source: Kriegsarchiv Wien, Akten des Apostolischen Feldvikariats 1917, Karton 164.

Anhang / Appendix 3:

Statistische Übersichten

Statistical Tables

Zu den Übersichten:

In den folgenden Tabellen wird die Zahl und Verteilung jüdischer Soldaten in der k. u. k. Armee veranschaulicht. Die Zahlen sind den 1872 bis 1911 erschienenen "Militärstatistischen Jahrbüchern" entnommen, die für derartige Untersuchungen eine hervorragende Quelle darstellen.
Für die Mannschaften und Unteroffiziere liegen für den gesamten Zeitraum entsprechende Daten vor; für die Matrosen lediglich ab 1885 (Tabelle 1). Für die Offiziere ("bei den Truppen und Anstalten eingeteilten Stabs- und Oberoffiziere") und Militärbeamten ("Militärgeistliche, dem Soldatenstande nicht angehörenden Offiziere und Militärbeamten") sind (Tabelle 2 und 3) entsprechende Angaben lediglich für die Jahre 1897 bis 1911 erhalten. Die Zahl der Marineoffiziere jüdischer Religion war so gering, daß sie in den Tabellen nicht berücksichtigt wird.
Die Graphiken wurden von Dipl. Graph. Erwin Moravitz, Oberwart, gestaltet.

About the Tables:

The following tables help to illustrate the numbers and distribution of Jewish soldiers within the I&R Army. All data are derived from the *Militärstatistisches Jahrbuch* which was published in Vienna from 1872 through 1911. For the other ranks, data for the whole period are available (table 1). For naval ranks, data are available just from 1885 on. For officers and military officials, figures are available only for the years 1897 through 1911 (tables 2 and 3). The number of Jewish naval officers was so small that it was omitted from these tables. The tables were executed by Erwin Moravitz, Oberwart.

Tabelle 1: Jüdische Soldaten in der k. u. k. Armee 1872 - 1911

Table 1: Jewish Soldiers in the I & R Army 1872 - 1911

	1	2	3	4	5	6	7	8	9	10	11	12	13	14	15	16	17	18	19
1872 Jüdische Soldaten (Mannschaft) in absoluten Zahlen	9757	280	290	613	247	38	103	30		592	264	5	24	228					12471
in Prozenten	1,9%	0,5	0,4	1,1	1,2	1,3	0,6	0,4		4,6	0,7	0,8	2,4	3,4					1,5
1885	20060	702	1308	1576	602	72	180	73	72	2086	793	34	56	580				152	28194
	3,7	1,3	1,5	2,5	3	2,4	1,2	0,9	1,6	10,8	1,8	3,9	4,4	6,8				0,9	3,2

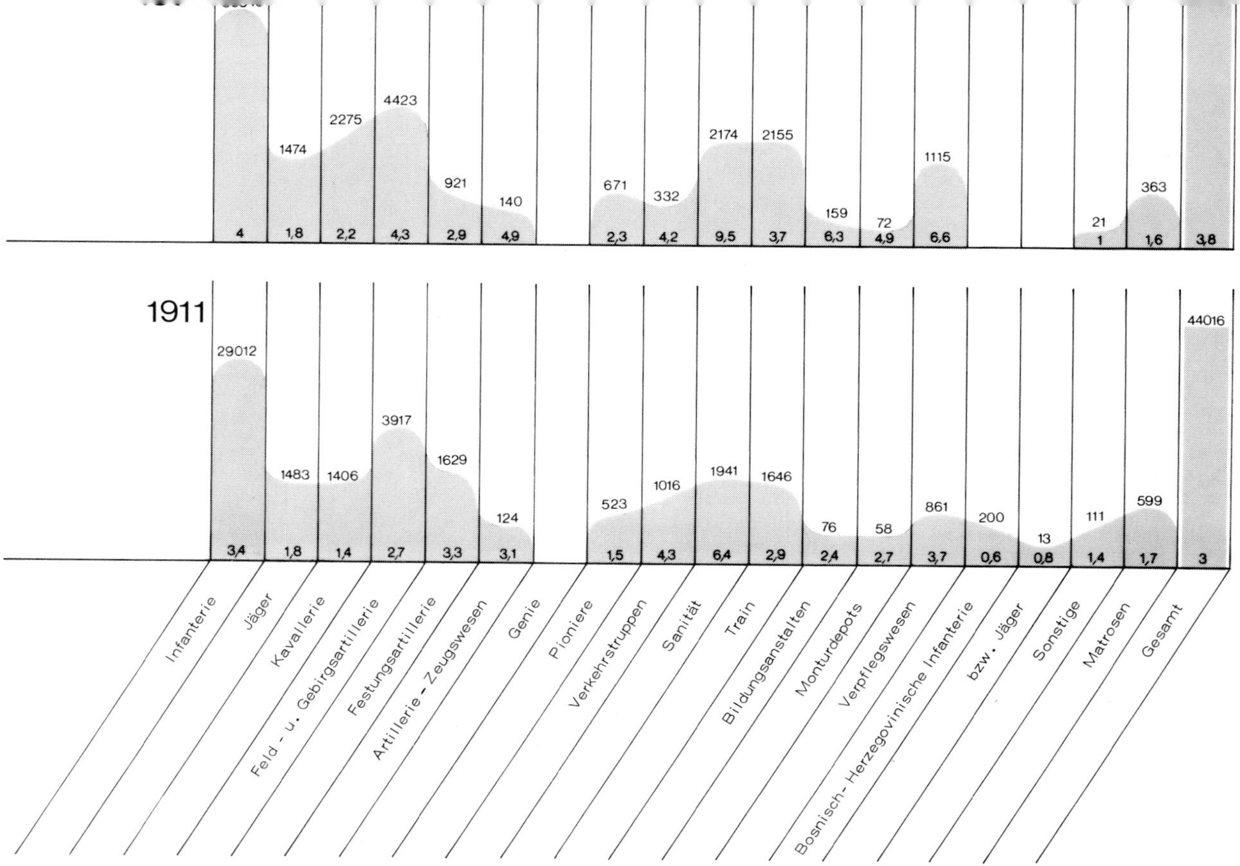

	Infanterie	Jäger	Kavallerie	Feld- u. Gebirgsartillerie	Festungsartillerie	Artillerie-Zeugswesen	Genie	Pioniere	Verkehrstruppen	Sanität	Train	Bildungsanstalten	Monturdepots	Verpflegswesen	Bosnisch-Herzegovinische Infanterie	bzw. Jäger	Sonstige	Matrosen	Gesamt
	[illegible]	1474	2275	4423	921	140		671	332	2174	2155	159	72	1115			21	363	[illegible]
	4	1,8	2,2	4,3	2,9	4,9		2,3	4,2	9,5	3,7	6,3	4,9	6,6			1	1,6	3,8

1911

	Infanterie	Jäger	Kavallerie	Feld- u. Gebirgsartillerie	Festungsartillerie	Artillerie-Zeugswesen	Genie	Pioniere	Verkehrstruppen	Sanität	Train	Bildungsanstalten	Monturdepots	Verpflegswesen	Bosnisch-Herzegovinische Infanterie	bzw. Jäger	Sonstige	Matrosen	Gesamt
	29012	1483	1406	3917	1629	124		523	1016	1941	1646	76	58	861	200	13	111	599	44016
	3,4	1,8	1,4	2,7	3,3	3,1		1,5	4,3	6,4	2,9	2,4	2,7	3,7	0,6	0,8	1,4	1,7	3

Tabelle 2: Jüdische Offiziere in der k. u. k. Armee 1897 - 1911

Table 2: Jewish Officers in the I & R Army 1897 - 1911

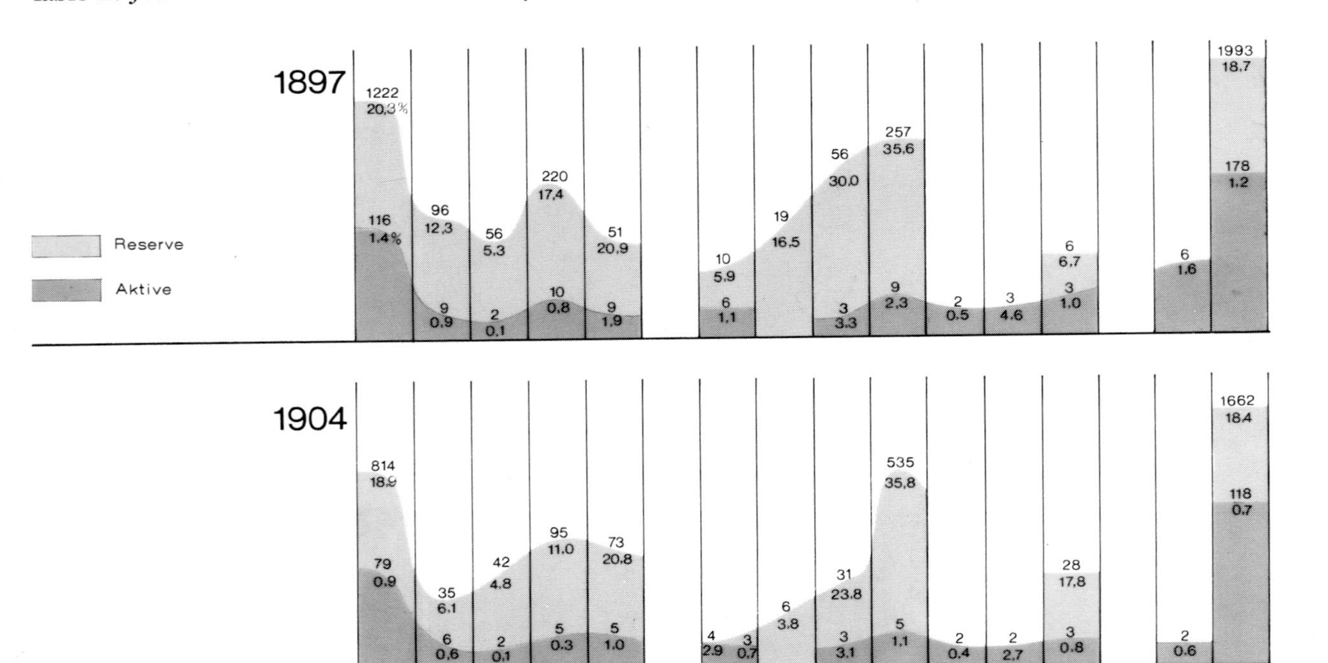

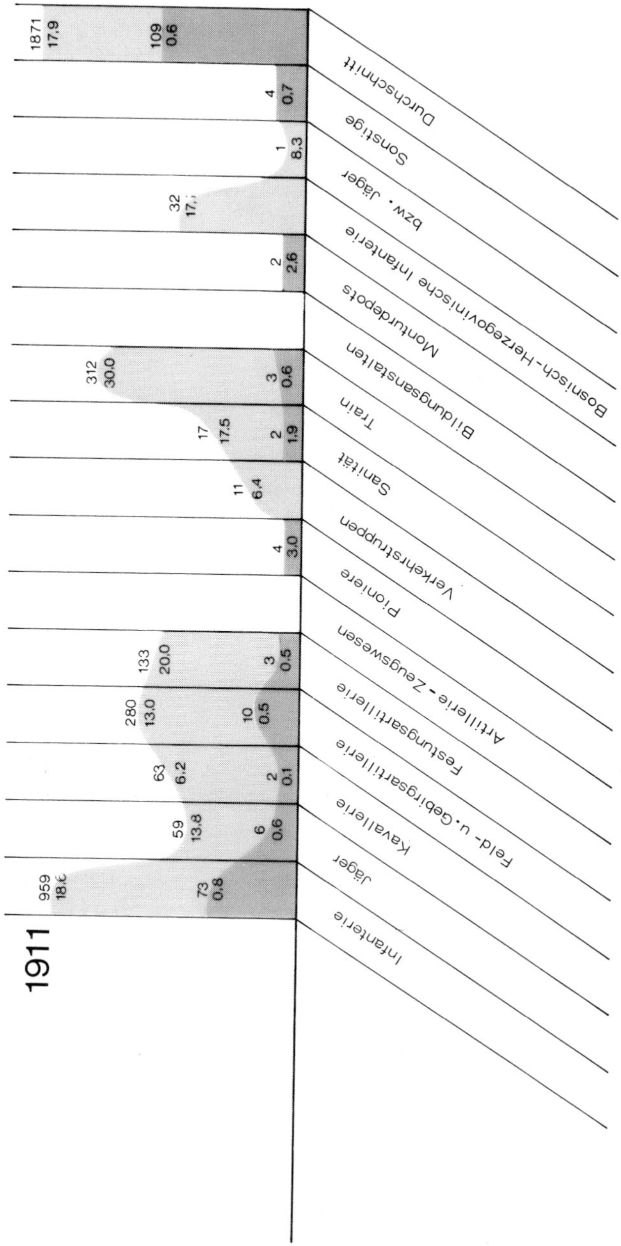

1911

959
18,6
73
0.8

59
13.8
6
0.6

63
6.2
2
0.1

280
13.0
10
0.5

133
20.0
3
0.5

4
3.0

11
6.4

17
17.5
2
1.9

312
30.0
3
0.6

2
2.6

32
17,…

1
8,3

4
0,7

1871
17,9
109
0.6

Infanterie
Jäger
Kavallerie
Feld- u. Gebirgsartillerie
Festungsartillerie
Artillerie - Zeugswesen
Pioniere
Verkehrstruppen
Sanität
Train
Bildungsanstalten
Monturdepots
Bosnisch-Herzegovinische Infanterie
bzw. Jäger
Sonstige
Durchschnitt

Tabelle 3: Jüdische Militärbeamte und dem Soldatenstande nicht angehörende Offiziere in der k. u. k. Armee 1897 - 1911

Table 3: Jewish Officials in the I & R Army 1897 - 1911

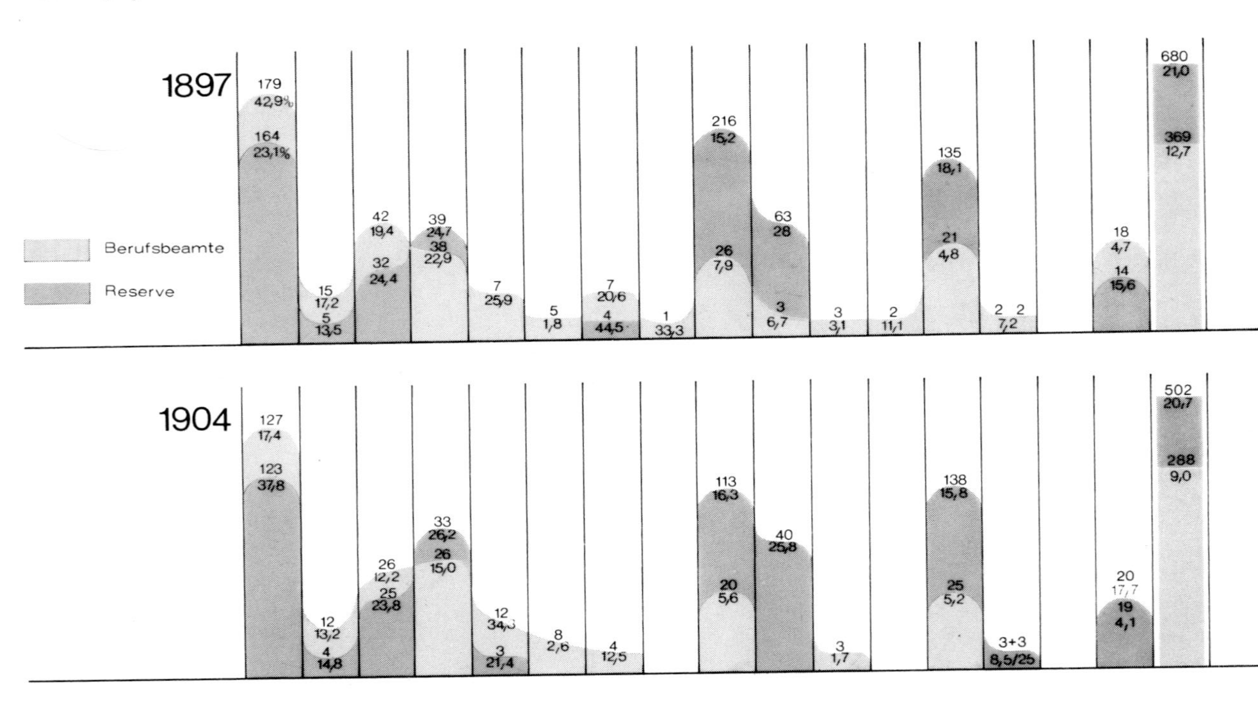

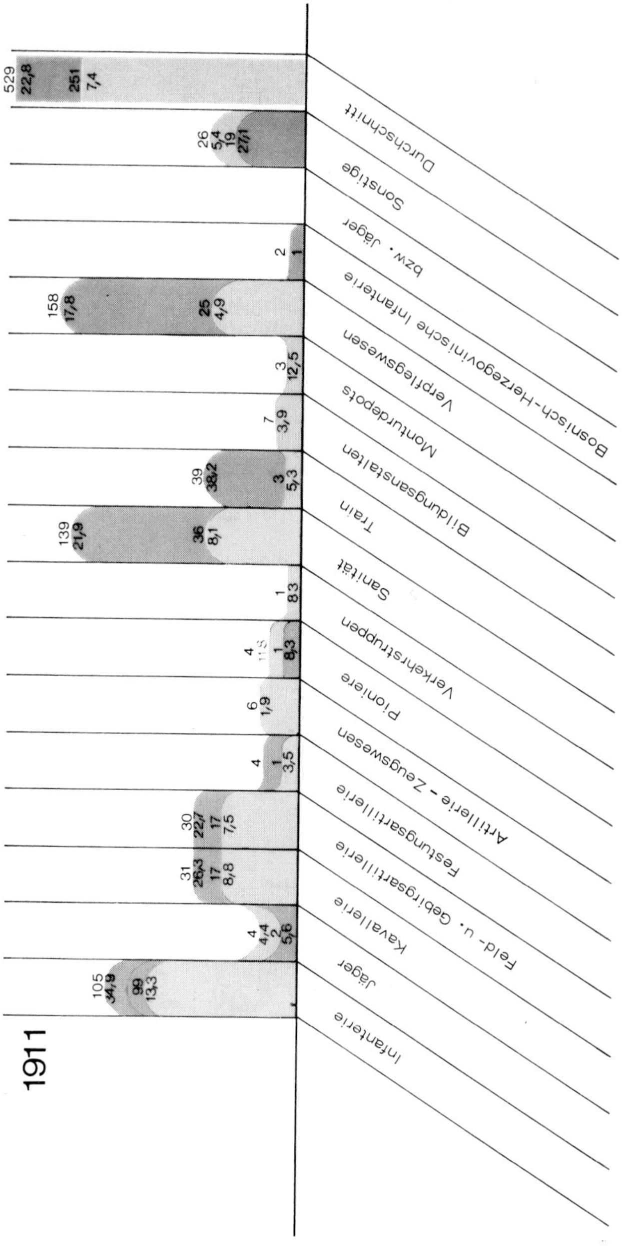

1911

Infanterie
105
34,9
99
13,3

Jäger
4
4,4
2
5,6

Kavallerie
31
26,3
17
8,8

Feld- u. Gebirgsartillerie
30
22,7
17
7,5

Festungsartillerie
4
1
3,5

Artillerie - Zeugswesen
6
1,9

Pioniere
4
11,8
1
8,3

Verkehrstruppen
1
8,3

Sanität
139
21,9
36
8,1

Train
39
38,2
3
5,3

Bildungsanstalten
7
3,9

Monturdepots
3
12,5

Verpflegswesen
158
17,8
25
4,9

Bosnisch-Herzegovinische Infanterie bzw. Jäger
2
1

Sonstige
26
5,4
19
27,1

Durchschnitt
529
22,8
251
7,4

Anhang / Appendix 4:

Bildteil: Jüdische Soldaten im Ersten Weltkrieg

Photographs of Jewish Soldiers in World War One

Zu den Fotos:

Die folgenden Aufnahmen sollen verschiedene Aspekte des Lebens jüdischer Soldaten der k. u. k. Armee im Ersten Weltkrieg illustrieren. Wo nicht anders angegeben, stammen sie aus dem Bestand des BMLV/Heeresgeschichtlichen Museums in Wien. Die Fachvergößerungen wurden durch das BMLV/Heeres-Bild- und Funkinformationsstelle (A-1070 Wien, Stiftsgasse 2a) hergestellt, deren Mitarbeitern an dieser Stelle nochmals für ihre großartige Unterstützung trotz des enormen Zeitdrucks gedankt sei.

About the photographs:

These pictures intend to illustrate various aspects of the life of Jewish soldiers of the I&R forces in the First World War. Unless otherwise indicated, all pictures come from the collections of the Austrian Army Museum, Vienna. The reproductions were made by the Austrian Army's Photo Department (HBF) whose assistance is gratefully acknowledged.

Die beträchtliche Zahl jüdischer Soldaten (im Ersten Weltkrieg insgesamt rund 300 000) kam auch in der steigenden Zahl jüdischer Feldrabbiner zum Ausdruck. 1914 gab es im gemeinsamen k.u.k. Heer zehn Feldrabbiner der Reserve, 1918 bereits über siebzig. Die Abbildung oben zeigt Dr. Adolf Altmann, der jüdische Soldaten an der Südtiroler Front betreute und sich u. a. auch als Historiker einen Namen machte (Foto: Leo Baeck Institute Yearbook, 1981). Rechts oben drei Vertreter der Israelitischen Militärseelsorge in Wien: Dr. Ernst Deutsch, Dr. Arnold Frankfurter und Rudolf Ferda. Darunter ein Gruppenbild der Feldrabbiner der Isonzoarmee. Man beachte die unterschiedliche Adjustierung; die drei schmalen goldenen Borten am Ärmel bezeichnen den Rang (IX. Rangsklasse = Hauptmannsrang).

The comparatively high number of some 300,000 Jewish soldiers in the I&R forces were reflected by a growing number of Jewish chaplains. In 1914, there were ten of them in the common army; by 1918 their number had risen to 76. Shown in these pages are Dr. Adolf Altmann (above) who served in Southern Tyrol (photo: Leo Baeck Institute Yearbook, 1981); three military chaplains from Vienna: Dr. Ernst Deutsch, Dr. Arnold Frankfurter and Rudolf Ferda (upper right); the group photo (lower right) shows the Jewish military chaplains attached to the Isonzo Army on the Italian Front. Note the different uniforms; rank is indicated by three narrow golden 'rings' on the sleeve (captain's rank).

Zu den wichtigsten Aufgaben der Feldrabbiner gehörte die geistliche Betreuung der Soldaten jüdischer Religion. Auf der linken Seite zwei Bilder von Feldgottesdiensten an der Nordost-Front. Oben eine Feldandacht für eine Marsch-Eskadron des Ulanen-Regiments Nr.13 vor dem Abrücken ins Feld, bei Lublin im besetzten Russisch-Polen, ca. 1916. Links im Bild Dr. Majer Samuel Balaban, assistiert von einem Kantor.

Among the most important duties of Jewish military chaplains was, of course, attending to Jewish soldiers' religious needs. These pictures show field services held somewhere on the Northeastern Front (left page, above and below) and a service for a detachment of the Lancer Regiment Nr.13 before their march to the front, at Lublin, in occupied Russian Poland, ca. 1916 (this page). The chaplain is Dr. Majer Samuel Balaban, assisted by a cantor.

Gelegentlich standen den jüdischen Soldaten Synagogen zur Verfügung, wie hier in Lublin im besetzten Russisch-Polen, ca. 1916. Der Feldrabbiner ist Dr. Majer Samuel Balaban (Bilder oben); im Bild rechts unten ist ein Soldat mit Gebetsmantel (Tallit) zu sehen.

Occasionally, Jewish soldiers could use synagogues e. g. in Lublin (occupied Russian Poland, ca. 1916). Chaplain Dr. Majer Samuel Balaban is shown in both pictures above; in the picture lower right one of the soldiers wearing the tallit.

Vielfach mußten sich die Soldaten mit behelfsmäßig errichteten Synagogen begnügen. Oben das Bethaus der Divisions-Sanitätsanstalt Nr. 45 in Kopily an der Ostfront; rechts eine improvisierte Synagoge in Doberdò südlich von Görz (Gorizia) an der Isonzofront.

In many cases Jewish soldiers had to improvise and build their own synagogues. These two examples show how remarkable the results often were: one the synagogue of the 45th Division's Hospital at Kopily on the Eastern Front (above), the other one a synagogue built at Doberdò (South of Gorizia) on the Isonzo Front.

In den meisten Spitälern waren Beträume für jüdische Soldaten eingerichtet. Diese Bilder zeigen drei Beispiele aus Wien: die Beträume in den k. u. k. Kriegsspitälern Wien-Simmering (links oben), Wien-Meidlung (links unten) und Wien-Grinzing (oben).

Small synagogues could be found in most military hospitals as these examples from three hospitals in Vienna show: Simmering (above left), Meidling (lower left) and Grinzing (above).

Eine eigene Synagoge für die in Wien stationierten Soldaten jüdischen Glaubens befand sich in der Roßauer-Kaserne. Der Hochzeits-Baldachin (Chuppa) zeigt das Kleine Gemeinsame Wappen von 1915: Den Doppeladler (= Österreich) und das ungarische Wappen, vereint durch das Wappen der Habsburger, darunter die Devise: "Indivisibiliter ac inseperabiliter".
Auf dem rechten Bild die Hochzeit eines jüdischen k. u. k. Offiziers.

For Jewish soldiers garrisoned in Vienna, there was a special military synagogue in the Roßauer-Kaserne. The chuppa (baldachin) was decorated with the Austro-Hungarian Coat of Arms introduced in 1915, showing the arms of Austria and Hungary united by the Habsburg dynasty.
The picture on this page shows a marriage ceremony.

Die österreichisch-ungarischen Truppen wurden bei der Wiedereroberung Galiziens und der Eroberung großer Teile Russisch-Polens vielfach als Befreier von der zaristischen Unterdrückung begrüßt, vor allem von Juden, die unter der russischen Herrschaft sehr zu leiden hatten.
Daher bestand ein gutes Verhältnis des Militärs zur Zivilbevölkerung, besonders zu den Juden. Auf dem Bild links oben k. u. k. Soldaten und einheimische Juden bei der gemeinsamen Pessach-Feier (Osterfeier) im besetzten Russisch-Polen (Foto: Kriegsarchiv Wien). Die Fürsorge für die jüdische Bevölkerung hatte auch eine Unterstützung der jüdischen Soldaten durch Zivilisten zur Folge. Im Bild links unten Feldrabbiner Dr. Rubin Färber mit freiwilligen Mitarbeitern anläßlich der Sammlung für den "Jüdischen Kriegsgräbertag", in Wladimir Wolynski an der Ostfront (Foto Meir Färber). Das Bild oben zeigt jüdische Zivillisten im jüdischen Militärtempel in Lublin, ebenfalls im besetzten Russisch-Polen.

The Austro-Hungarian troops were often welcomed as liberators from Russian Czarist oppression, both in Galicia and in occupied Russian Poland. This applied especially to the Russian Jews who had suffered most.
Consequently, the I&R soldiers enjoyed a good relationship with the civilian population, Jews in partienlar. Upper left: a Pessach-celebration of Jewish civilians together with two Jewish I&R soldiers is shown, somewhere in Russian Poland (photo courtesy of the War Archives, Vienna). The care for Jewish civilians increased the support civilians gave to Jewish soldiers. In the lower left picture, Chaplain Dr. Rubin Färber together with civilian volunteers collecting money for a "Jewish War Graves Day" in Wladimir Wolynski on the Eastern Front (photo courtesy of Meir Färber). On this page, Jewish civilians are praying in the military synagogue at Lublin, occupied Russian Poland.

Die Begrüßung der k. u. k. Truppen und hoher Würdenträger durch die örtliche jüdische Bevölkerung gestaltete sich meist besonders feierlich. Im Bild die Begrüßung des höchsten Militärgeistlichen in der k. u. k. Armee, des Apostolischen Feldvikars Emmerich Bjelik, durch die jüdische Gemeinde eines Ortes an der Ostfront, im Bereich des Korps Hofmann (später XXV. Korps). (Foto Kriegsarchiv Wien).

The Jewish population welcomed the I&R troops and dignitaries with special respect. This photograph from the War Archives, Vienna, shows the reception of the highest military chaplain in the I&R forces, the (Roman-Catholic) Feldvikar Emmerich Bjelik, by a Jewish community somewhere on the Eastern Front, in the operational area of the Corps Hofmann (later XXVth Corps).

Rechte Seite:
Da Galizien Kriegsschauplatz wurde, flüchteten viele Bewohner, darunter zahlreiche Juden, 1914 und 1915 in den Westen der Monarchie. Oben ein Flüchtlingszug auf dem Weg nach Westen (Foto: Kriegsarchiv Wien), darunter k. u. k. Soldaten bei der Betreuung jüdischer Flüchtlinge (Foto: Christian Brandstätter, Wien).

Right page:
As Galicia became a battlefield in the early months of the war, many inhabitants, including a large number of Jews, fled westward.(Upper photo courtesy War Archives, Vienna). Occasionally soldiers supplied the poor refugees with food and medicine (lower photo, courstesy Christian Brandstätter, Vienna).

Die Betreuung jüdischer Soldaten durch Feldrabbiner war vielfältig. Sie reichte vom Religionsunterricht für jüdische Offiziersanwärter (links oben: Dr. Arnold Frankfurter beim Unterricht in der Infanterie-Kadettenschule Wien-Breitensee) bis zur Sorge für die Soldaten in den Schützengräben an der Front (links und oben: zwei Aufnahmen von der nördlichen Ostfront, links anscheinend beim Austeilen von Gebetsbüchern).

The duties of Jewish military chaplains were numerous, ranging from lectures for officer-candidates (above left: Dr. Arnold Frankfurter with cadets at the Vienna Infantry Cadet School) to visits in the trenches (lower left and above: a Jewish chaplain on the Eastern Front. In the lower left picture he apparently is distributing prayer books to the soldiers).

Zu den Anliegen der Feldrabbiner gehörte es auch, die ihnen anvertrauten Soldaten zumindest an höheren jüdischen Feiertagen mit koscherem Essen zu versorgen. Ansonsten war es aus organisatorischen Gründen nicht möglich, für Soldaten jüdischer Religion gesondert Speisen zuzubereiten; sie mußten in der Regel an der Mannschaftsverpflegung teilnehmen. Beide Bilder zeigen die Zubereitung von Speisen unter Aufsicht eines Feldrabbiners (linkes Bild: links außen im Mantel; rechtes Bild: ganz rechts sitzend).

The military chaplains tried to supply their Jewish soldiers with kosher food as far as possible, at least for special holidays. Otherwise, most Jewish soldiers had to partake in common meals because economical reasons made it impossible to cook for them seperately. Both pictures show Jewish chaplains supervising the preparation and distribution of food (in the photo on the left page, the chaplain is on the extreme left, with overcoat. In the photo above, the chaplain is sitting on the right, with crossed legs).

Neben der Abhaltung von Gottesdiensten für jüdische Soldaten (links oben) oblag den Feldrabbinern gelegentlich auch die Betreuung von kriegsgefangenen russischen Soldaten jüdischen Glaubens (Foto oben: ein Gottesdienst für russische Kriegsgefangene, Bruck-Kiralyhida (Bruck-Neudorf), 1915). Zu den wichtigeren Diensten der Feldrabbiner gehörte natürlich die Seelsorge für die Verwundeten und Kranken (Foto links unten: Besuch eines Feldrabbiners - im hellen Mantel - in einem Lazarett an der Ostfront. Er trägt vorschriftsgemäß die Armbinde mit dem Konventionskreuz (''Roten Kreuz''), die ihn als Nicht-Kombattanten ausweist.

Besides caring for Jewish soldiers of the I&R forces (photo upper left: a Jewish service), Jewish chaplains occasionally had to preach for captures Russian soldiers of Jewish faith as well. The picture above shows a service held by Dr. Frankfurter of Vienna for Russian prisoners-of-war at Bruck-Kiralyhida (Bruck-Neudorf), in 1915. Chaplains also had to visit hospitals to care for the sick and wounded. The lower left picture shows the visit of a Jewish chaplain to an ambulance-post on the Eastern front. Being a non-combatant, the chaplain (in light overcoat) is marked by a brassard bearing the Geneva Cross (''Red Cross'').

Tote jüdische Soldaten wurden nach Möglichkeit rituell bestattet. Links zwei Aufnahmen eines Begräbnisses eines Solaten in Lublin, im besetzten Russisch-Polen, in Anwesenheit von Offizieren und Kameraden des Toten sowie von jüdischen Zivilisten. Die Predigt hält Feldrabbiner Dr. Majer Samuel Balaban. Auf dieser Seite oben die provisorisch gekennzeichnete Grabstätte des jüdischen Soldaten Ludwig Naftale vom Infanterie-Regiment Nr.62, aufgenommen im November 1916 bei Purnewitschi an der nördlichen Ostfront (Foto: Kriegsarchiv).

Dead Jewish soldiers were given a burial according to Jewish ritual wherever possible. On the left page two pictures from a military funeral in Lublin, occupied Russian Poland. The funeral service is held by Dr. Majer Samuel Balaban. Apart from the dead soldier's comrades and his officers, some Jewish civilians are present as well. On this page is the burial site of Ludwig Naftale, a soldier from the Infantry Regiment Nr.62. This photograph was taken near Purnewitschi on the Eastern Front in November 1916 (courtesy War Archives, Vienna).

Die Leistungen der israelitischen Militarseelsorge im Ersten Weltkrieg wurden u. a. auch in der "Kriegsausstellung" gewürdigt, die 1917 in Wien stattfand. Das Bild zeigt einen Teil der "jüdischen Abteilung" des Pavillons "Militärseelsorge" dieser Ausstellung. Einige der auf den vorhergehenden Seiten gezeigten Aufnahmen stammen aus dieser Ausstellung.

A special section of the big "War exhibition" held in Vienna in 1917 was dedicated to the work done by Jewish military chaplains. This photograph shows part of the "Jewish display". Some of the photographs reproduced on the preceding pages were originally displayed in this exhibition.

Anhang / Appendix 5:

Erinnerungen David I. Neumanns an seine Soldatenzeit im Ersten Weltkrieg

The Recollections of David I. Neumann, I&R Sergeant in the First World War

David Ignatz Neumann (geb. 1894) diente von 1914 bis 1918 in der k.u.k. Armee. Im Bild ist er als Zugsführer während seiner Dienstzuteilung zum Inspizierenden der Ausbildungsgruppe der 1. Armee in Siebenbürgen zu sehen.

David Ignatz Neumann (born 1894) served in the I&R Forces throughout the First World War. This picture shows him, still a Corporal, while attached to the staff of the 1st Army in Transsylvania.

(Foto/Photograph: D. I. Neumann)

Erinnerungen David I. Neumanns an seine Soldatenzeit im Ersten Weltkrieg

The Recollections of David I. Neumann, I&R Sergeant in the First World War

David Ignatz Neumann, am 25. Mai 1894 in Rust (Burgenland) geboren, ist wohl einer der ältesten noch lebenden jüdischen Kriegsteilnehmer des Ersten Weltkrieges. Zuletzt Feldwebel, diente er von 1914 bis 1918 zuerst beim Infanterie-Regiment Frh. v. Salis-Soglio Nr. 76 und dann beim Infanterie-Regiment Frh. v. Klovucar Nr. 5 als Rechnungsunteroffizier. 1927 wanderte er ins damalige Palästina aus, wo er in Tel Aviv als Messerschmied arbeitete. Daneben betätigte sich David Neumann schon früh als Dichter. Eine Auswahl seiner Gedichte erschien 1988 unter dem Titel "David Ignatz Neumann: Ein Leben - ein Werk" in der Edition Roetzer (Eisenstadt-Wien). Dieser Gedichtsammlung ist auch eine ausführliche Biographie vorangestellt. Anläßlich der Präsentation dieses Büchleins im Mai 1988 in Rust führte David Neumann mit Erwin A. Schmidl ein längeres Gespräch, das die Grundlage für folgende Darstellung bildete. Die Textniederschrift wurde von David Neumann durchgesehen und autorisiert.

Zwiegeteilt ist meine Seele.
Österreich hat mich geprägt.
Doch der Traum von Zion wurde
In die Wiege mir gelegt.

Ich bin 1894 Rust geboren und bin mit sieben Jahren nach Wien gekommen. Wien hat mich entsetzt. Aus der Freiheit Rusts bin ich nach Wien ins Gefängnis gekommen. Ich habe Wien gehaßt. Wir haben in der Unteren Augarten-Straße im Zweiten Bezirk gewohnt, das war damals eine Lastenstraße. Tag und Nacht sind die großen Wägen, von schweren Pinzgauer-Rossen gezogen, durch unsere Straße gerasselt. Zum Lärm kamen die Verbote: „Da darfst Du nicht hingehen!" - „Paß gut auf!" Mit einem Wort, ich war aus dem Paradies vertrieben. Ich habe Rust mein ganzes Leben lang nicht vergessen.

In den ersten drei Volksschulklassen hatten wir deutschsprachigen Unterricht, nur eine Stunde war jeweils ungarisch; erst ab der vierten Klasse war der Unterricht dann ungarisch. Ich konnte also recht gut deutsch - so dachte ich zumindest. Als ich an einem Wintertag 1901 zum ersten Mal an einer Wiener Volksschule erschien (im 2. Bezirk, etwa zwei Drittel der Schüler waren Juden), da sollte ich aus dem Lesebuch vortragen: ,,Gestern war Ausziehtag ..." Ich fing an zu lesen, aber natürlich nicht in Hochdeutsch, sondern in meinem Heantzerisch, wie ich es gewohnt war. Alle, auch der Lehrer, lachten. Ich habe eine schreckliche Wut gehabt und mit vorgenommen, ab jetzt nur noch hochdeutsch zu sprechen.

Ich war begeisterter Fußballspieler in der Jugendmannschaft der Hakoah, des bekannten jüdischen Sportvereins. 1913 wurde ich schwer verletzt, habe 1914 wieder begonnen zu trainieren, aber man hat mir die Verletzung noch angesehen. Ich bin dann 1914, mit 20 Jahren, zur Musterung gekommen. Man ist damals nackt unter das ,,Maß" gegangen, ein Sanitätssoldat hat einem die Maßlatte auf den Kopf geklatscht: ,,Ein Meter 71 - sehr schön!" Der Arzt hat mich nur kurz angeschaut: ,,Sind Sie Fußballspieler?" - ,,Ja!" - und schon war ich draußen, das ganze hat kaum 5 Minuten gedauert. Ich war natürlich tauglich; ich hätte mich auch gekränkt, wenn ich nicht tauglich gewesen wäre.

Ich war ungarischer Staatsbürger und bin daher zum Infanterie-Regiment Nr. 76 eingerückt, dem Ödenburger Hausregiment. Obwohl ein ,,ungarisches" Regiment, bestand das Regiment zum Großteil aus Deutschsprechenden. Daneben waren selbstverständlich auch Ungarn und Kroaten dabei. Ich bin am 26. Oktober 1914 eingerückt. Einrückungsort war Wien. Die Hernalser Tramway-Remise empfing die jungen Rekruten. Plötzlich hörte ich rufen: ,,David, David, kumm her da!" Das waren Freunde aus meiner Kindheit in Rust, die mich wiedererkannt hatten. Da sie meist aus guten Bauernhäusern stammten, hatten sie zum Essen was gut und teuer war mitbekommen, Schinken, Bauernwürste, Speck usw.: ,,Komm, iß' mit uns!" - ,,Ihr wißt doch, ich bin ein Jud'!" - ,,Du wirst auch noch Schinken essen!" Sie hatten recht: Ich habe selbstverständlich an der Truppenküche teilgenommen, doch habe ich mich fast ein Jahr lang im Feld von Ersatzhonig, Kommißbrot und ähnlichem ernährt, dann ist es mir zu blöd geworden. Aber wie ich das erste Pferdefleisch gegessen habe, da habe ich gebrochen.

Merkwürdigerweise bin ich nie mit einem Feldrabbiner in Berührung gekommen; bei meinem Bruder, der bei den Neuner-Husaren war, war es anders. Ich wußte auch nie, wann jüdische Feiertage waren; wir hatten auch nicht frei. Natürlich machten wir auch am Sabbat ganz normal Dienst: Für einen Soldaten im Kriege gibt es keinen Sabbat, das ist ja lächerlich. Die Kanonen fragen nicht, ob heute Sabbat ist oder Sonntag, oder Pfingsten oder Weihnachten.

Ende 1917/Anfang 1918 hat man für die traurige Kriegslage Schuldige gesucht und glaubte sie in den Juden gefunden zu haben: ,,Juden sind Drückeberger!" Es wurde eine Untersuchung befohlen. Die kam dann aber zu dem Ergebnis, daß der Anteil der Kriegstoten unter den jüdischen Soldaten um 20 Prozent höher war als ihr Anteil an der Bevölkerung; auch die Anzahl der Dekorierungen war höher als bei anderen Bevölkerungsteilen. Daraufhin wurde diese Aktion abgeblasen.*) In der Armee habe ich kaum Antisemitismus kennengelernt. Im Zivilleben war der Antisemitismus schon sehr stark: Lueger war damals Bürgermeister in Wien, und er hat erklärt: ,,Wer ein Jud ist, bestimme ich". Meine Kunden haben oft zu mir gesagt: ,,Sie sind der einzige anständige Jud', den ich kenn'!" Wissen Sie, das hat mir nicht sehr gut geschmeckt. Das war sehr unangenehm, denn ich wußte, daß wir Juden in **keiner Weise** anders als unsere Umgebung waren. Aber in der Armee gab es in keiner Weise, in keiner Form Antisemitismus. Ein einziges Mal habe ich auch in der Armee so etwas wie Antisemitismus gespürt. Das war im Spätherbst 1918, an die Mannschaft waren neue Mäntel verteilt worden. Das war damals nicht alltäglich; wenig später mußte ich irgendwo in ein Augmentationsmagazin um Lebensmittel für die Kompagnie zu fassen. Der Augmentations-Offizier meinte, nachdem er mich im neuen Mantel sah: ,,Neumann, sind Sie beim Wadsoch-hüten-Orden (Ausdruck für Drückeberger)?" Mir sind die Tränen herabgelaufen, und ich habe ihm geantwortet: ,,Herr Hauptmann; die ganze Kompagnie hat neue Mäntel gefaßt, und ich auch!" Darauf er: ,,Neumann, ich hab's doch nicht so bös' gemeint!" Das war das einzige Mal, daß ich irgendwo etwas von Antisemitismus in der Armee gespürt habe. Der Prozentsatz der jüdischen Reserveoffiziere war doppelt so hoch wie unter der anderen Bevölkerung. In Österreich, in Deutschland selbstverständlich nicht, konnte es ein Jude bis zum Brigadegeneral bringen; wollte er als Jude weiterkommen, mußte er sich taufen lassen.

*) Eine derartige Untersuchung über die Kriegsteilnahme von Juden ist für Österreich-Ungarn aus den Akten des Kriegsarchivs nicht belegbar. Wahrscheinlich handelt es sich dabei um die ,,Judenzählung", die 1916 im Deutschen Reich durchgeführt wurde und deren Ergebnis auch in Österreich bekannt wurde (Anmerkung E.A.S.).

Ich war merkwürdigerweise in meiner Rekrutenkompagnie der einzige Jude. Daher mußte ich, als Jude, doch beweisen, daß ich ein guter Soldat bin. Eines schönen Tages war Strafexerzieren. Unser Hauptmann erklärte: ,,Neumann - austreten!" Und zur Mannschaft gewandt: ,,Heute ist Strafexerzieren. Wir haben einen einzigen Juden in der Kompagnie und der exerziert viel besser als Ihr alle. Er braucht daher nicht beim Strafexerzieren mitmachen!" Also ich kann Ihnen sagen, das war für mich eine gewaltige Ohrfeige, denn es ist nicht angenehm, so gelobt zu werden.

Es muß einige Tage vor Weihnachten 1914 gewesen sein, daß unsere Kompagnie ins Feld gehen sollte, in die Karpathen. Vorher war noch feldmäßiges Schießen. Das hat einen Marsch von 40 Kilometern bedeutet: 20 Kilometer hin, 20 Kilometer zurück. Ich hatte 39 Grad Fieber, aber ich wollte mich nicht melden. Wieder die selbe Geschichte: Ich war Jude; wenn ich gesagt hätte: ,,Ich melde mich krank!", hätte es gleich geheißen: ,,Typisch Jude!" Also bin ich mit 39 Grad Fieber, 30 Kilo am Buckel und dazu noch das Gewehr, losmarschiert; gesehen habe ich gar nichts. Als wir am Schießplatz ankamen, wo die Scheiben aufgestellt waren, begannen wir mit den Schießübungen. Auf einmal kommt, hoch zu Roß, der Oberst angeritten und schreit mich an: ,,Um Gottes willen, wohin schießen Sie denn, Einjähriger!" - ich war kein Einjährig-Freiwilliger, aber mein Gesicht hat offenbar ein bißchen herausgestochen. ,,Schießen Sie doch auf die Scheiben!" Ich war so benommen, daß ich kaum gesehen habe, wohin ich schießen sollte. Am Rückmarsch habe ich einen Blutsturz bekommen, bin zusammengebrochen und wurde ins Spital eingeliefert. Ich bin daher nicht mit meiner Einheit in die Karpathen abgerückt; das scheinbare Unglück wurde zum Glück.

In den Verlustlisten des Monats Januar 1915 erschien mein Name:
,,Gefreiter David Ignatz Neumann - vermißt."
Meine Kompagnie wurde sofort nach Rückkehr von der Felddienstübung einwaggoniert, um in den Karpathen eingesetzt zu werden, und man hatte gar nicht bemerkt, daß ich fehlte. Wahrscheinlich wurde meine Kompagnie ebenfalls gleich nach Ankunft am Kriegsschauplatz eingesetzt und man fand mich nicht.

Ich verbrachte einige Wochen im Spital, hatte einige Wochen Urlaub, und kam dann ins Rekonvaleszentenheim des IR 76. Nachdem ich gesund war, hat man mich als Schreiber zurückbehalten. Anfang 1916 kam dann eine Musterungskommission um Kranke und Schreiber auf ihre Fronttauglichkeit zu untersuchen. Man hat mich gefragt: ,,Was fehlt Ihnen, Neumann?" Darauf habe ich gesagt, ,,Mir fehlt gar nichts, ich bin als Standesführer dieser

Rekonvaleszenten-Abteilung zurückgeblieben." Obwohl meine Vorgesetzten mich gerne behalten hätten, mußte ich doch ins Feld.

Vorher kam ich aber noch in die Rechnungsunteroffiziersschule und bin 1916 als Rechnungsunteroffizier einer Ersatzkompagnie ins Feld gegangen, nach Italien. Danach wurde ich wieder nach Wien rückbeordert. Anfang 1917 kamen rund 1000 Mann der Sechsundsiebziger zum Infanterie-Regiment Nr. 5 als „Spange". Das I.R. 5 bestand weitgehend aus Rumänien, es waren auch Ungarn dabei; wir haben die Rumänen „Tschuschen" genannt. Da unser I.R. 76 ein Eliteregiment war, sind wir dort zur Besserung des Kampfwillens eingeteilt worden. Üblicherweise wurde der Rechnungsunteroffizier, der eine Ersatzkompagnie ins Feld führen mußte, zurückgeschickt, da an Rechnungsunteroffizieren ziemlicher Mangel herrschte. Ich war der einzige Rechnungsunteroffizier, der seinen Aktivdienst leistete; in den anderen Kompagnien waren die Rechnungsunteroffiziere Längerdienende. Die mußten zum Regiment zurück, mich aber haben die Fünfer trotz meines Protestes behalten. Wir fühlten uns weiter als Sechsunssiebziger. Das I.R. 76 hatte blaue („hechtgraue") Aufschläge, das I.R. 5 rosenrote. Als man uns befahl, unsere Aufschläge zu ändern, haben wir zwar die alten Aufschläge heruntergetrennt, haben aber aus Trotz dann gar keine Aufschläge getragen.

Zwischendurch war ich zur Stabsabteilung beim Inspizierenden der Ausbildungsgruppe der 1. Armee abkommandiert. Wann das genau war, habe ich vergessen. Mein vorgesetzter Offizier, ein kriegsuntauglich gewordener aktiver Oberleutnant, hatte neben mir eine weibliche Hilfskraft, im rüden Soldatenjargon „Filzkraft" geheißen, als Sekretärin: eine vollkommen untaugliche Person, deren Tätigkeit im Schminken und Fingernägelfärben bestand. Ich mußte daher auch ihre Arbeit übernehmen. Dadurch bedingt, hatte ich überhaupt keine Freizeit. Ich wurde langsam wütend und bat einen Freund in der Feldregimentskanzlei des I.R. 5, mich wieder zum Regiment einrückend zu machen. Dies geschah. Doch mein lieber Oberleutnant nahm keine Notiz davon. Ich schrieb daher nach 14 Tagen wieder meinem Freund (zuweilen hatten Feldwebel einen gewaltigen Einfluß) und nun kam der drohende Befehl, mich sofort zum Feldregiment 'rückzuschicken. Zähneknirschend mußte mein Oberleutnant dem Befehl des Regiments gehorchen. Trotz der Annehmlichkeit des Etappenlebens in Siebenbürgen fuhr ich aufatmend zum Feldregiment, befreit von der „Schminkbestie".

Im Mai 1918 kamen wir mit den „Rumänen" vom I.R. 5 von der rumänischen Front zum Tonale-Paß nach Südtirol, an die italienische Front. Das war mitten im Hochgebirge. Da gab es Warntafeln: „Achtung Lawinengefahr!"

und Hinweise, daß am soundsovielten soundsoviel Mann dieser oder jener Gefangeneneinheit von einer Lawine verschüttet wurden.

Juli 1918 hieß es dann, das Regiment würde in die Ukraine verlegt. Das war eine schöne Nachricht, denn in der Ukraine bekam man mehr zu fressen. Kurz zuvor, wir waren in Retablierung, war ich an Grippe erkrankt. Ich bin auf die Latrine gegangen, konnte aber nicht mehr aufstehen. Ich mußte meinen Hauptmann, der mich sehr gern gehabt hat, bitten, mir aufzuhelfen und mich ins Zelt zurückzuführen, daß ich überhaupt ins Bett kommen konnte. Diese Grippe damals war furchtbar; viele sind daran gestorben. Es gab damals einen Befehl, daß kranke Rechnungsunteroffiziere sofort ins Spital überstellt werden müßten, um nach ihrer Genesung einer anderen Einheit zugeteilt zu werden, da man Rechnungsunteroffiziere dringend gebraucht hat. Das wollte ich aber nicht, ich habe mich daher krank zur Fahrt in die Ukraine einwaggonieren lassen.

Also, wir fuhren nach der Ukraine. So dachten wir jedenfalls. Wir kamen durch Deutschland, Belgien, bis nach Frankreich und landeten schließlich an der Maas (Meuse). Dort waren wir dann bis Kriegsende; es fanden dort, bei Ecurais, die erbittertsten Kämpfe der letzten Zeit statt. Vom 25. September bis zum 2. Oktober sind 1500 Mann unseres Regiments entweder gefallen, wurden verwundet oder gefangen. Uns gegenüber lagen amerikanische Truppen.

Mein Bruder Julius (Gyula) war Wachtmeister bei den Neuner-Husaren. Er heiratete im September 1918; dazu hatte auch ich Urlaub erhalten. Ich war Mitte September für drei, vier Tage in Wien, dann bin ich wieder zurückgefahren an die Westfront. Sieben oder acht Tage später hätte man mich wohl schon in Wien zurückbehalten; man hat damals schon den Zusammenbruch vorausgeahnt und daher die Soldaten in Wien rückbehalten.

Österreich ist Anfang November 1918 zusammengebrochen, wir sind aber erst am 6. November aus der Front gezogen worden. Einige Deutschsprechende vom I.R. 76 sind dann losmarschiert, kamen bis Straßburg, und sind von dort mit der Eisenbahn zurückgefahren nach Österreich. Über München kamen wir nach Salzburg und weiter nach Wien. Das war eine fürchterliche Sache. Die Waggons waren so dicht gedrängt, daß wir einen zum Fenster hinaushalten mußten, wenn er seine Notdurft verrichtete. In Salzburg habe ich geschaut, wie ich nach Wien kommen könnte. Ein Eisenbahner hat dann zu mir gesagt: „Herr Feldwebel, dort drüben ist ein Zug für Offiziere nach Wien, steigen Sie dort ein!" Wie ich im Zug von Salzburg nach Wien gefahren bin, habe ich um mein Vaterland geweint. So bin ich dann nach Wien gekommen. Zu Mitternacht bin ich, ich glaube in Schwechat, angekommen, und dann nach Hause gegangen. Die Straßen waren leer, lichtlos; sie wirkten tot, es war kein Mensch auf der Straße, es war fürchterlich.

Wir waren fünf Brüder. Der jüngste, Samuel, war noch nicht militärfähig, die übrigen Soldaten. Josef, genannt Joschka, war der älteste und begabteste, er beherrschte sämtliche Sprachen Österreich-Ungarns. Er rückte Anfang 1915 ein. Man hat damals Dolmetscher gesucht, aber Joschka hat sich nicht gemeldet, damit man nicht wieder sagt: „Der Jud' drückt sich!" Er ist noch 1915 gefallen. Mein Bruder Gyula war bei den Neuner-Husaren, zuletzt in Bulgarien. Nach 1918 war Gyula auch in der jüdischen Schutztruppe, die gegen Raubtaten und zum Schutz jüdischer Viertel gebildet wurde. Mein jüngerer Bruder Salomon war Einjährig-Freiwilliger an der italienischen Front.

Daß Österreich-Ungarn zugrundegegangen ist, war meiner Ansicht eine der größten Katastrophen des 20. Jahrhunderts. Österreich-Ungarn war ein kleiner Völkerbund.

Schwarzgelbe Fahnen

Als die Fahnen hoch im Winde flogen,
Sind, gebannt, wir ihnen nachgezogen.
Als sie fielen, müde, sturmzerschlissen,
Haben wir sie, stur, mit Kot beschmissen.

- -

Hilft kein Trauern, kein betrübtes Ahnen.
Ach: Sie fehlen uns, die alten Fahnen.

Nach 1918 begann eine sehr unruhige, schreckliche Zeit. Ich bin im Jahre 1927, kurz nach der Zerstörung des Justizpalastes, ausgewandert. Es herrschte Bürgerkrieg, es war soviel gegenseitiger Haß, der ja heute, Gott sei Dank, nicht mehr da ist. Dieser Haß hat ja dann Österreich dem Hitlerismus ausgeliefert. Es war sehr unangenehm, eine sehr schwierige Situation. Die Inflation war enorm; dabei war die Situation in Österreich noch schlimmer als in Deutschland. Gerade die Anständigen sind zugrunde gegangen. Ich war ziemlich vermögend und habe auch alles durch die Inflation verloren.

Unser Vater ist 1919 gestorben, und ich mußte das Familiengeschäft übernehmen. Ich stamme aus einer sehr zionistischen Familie, und es war daher klar, daß ich nach Palästina auswandern würde. 1904 hatte ich, ich war damals zehn Jahre alt, das Begräbnis Theodor Herzls miterlebt. Das war damals ein ungeheurer Trauertag für uns; die Gaslampen brannten an diesem Tag ohne

Deckel, als Fackeln. Ich gehörte schon mit 14 Jahren zur ,,Poale-Zion" (,,Arbeiter für Zion"), einer eher marxistisch-sozialdemokratischen Gruppe an, und war nach 1918 sogar im Vorstand. 1923 aber teilte sich ,,Poale-Zion" in eine kommunistische und eine radikal-sozialistische Gruppe; ich trat damals aus und trat Ing. Robert Strickers zionistischer ,,Jüdischnationaler Staatspartei" bei. Ich wollte aber nie als Kaufmann nach Palästina gehen. 1923 war ich das erste Mal in Palästina und habe festgestellt, daß es dort keinen Messerschmied gibt. Ich habe dann nach meiner Rückkehr in Wien bei den drei besten Messerschmieden Wiens gelernt; daneben habe ich jeweils zwei Tage in der Woche im Geschäft gearbeitet und das Geschäft aufgelöst. Ende November 1927 war es dann soweit; ich bin nach Palästina gegangen und dort geblieben. Die Werkstatt in Tel Aviv wird heute von meinen zwei Söhnen betrieben. Meine Werkstatt hat 1948 den einzigen schweren Mörser für die Haganah gebaut, praktisch unter den Augen der Engländer: Wir saßen ein halbes Jahr lang gewissermaßen mit dem einen Fuß im Gefängnis. Wenigstens habe ich so auch meinen Teil beigetragen zum Befreiungskrieg Israels. Mein Sohn Jakob war Waffenschmied in der Haganah für den Bezirk Tel Aviv.

Ich stamme aus einer sehr frommen Familie; das ist jedenfalls der Grund, warum ich nach Palästina gegangen bin. Denn in Israel können meine Kinder Menschen sein. Es ist das einzige Land der Welt, wo ein Jude nicht wissen muß, daß er Jude ist - dort ist er Mensch. Ich lebe seit 61 Jahren in Israel, und diese 61 Jahre lang herrscht Krieg. Die innere Bedrohung ist dabei größer als die äußere. Dabei brauchen wir dringend den Frieden. In Israel können die orientalischen und die europäischen Juden wieder zusammenwachsen.

Dabei habe ich die alte Heimat nie vergessen. Ich habe mich immer als Burgenländer gefühlt: Man kann nie und niemals, auch wenn man es will, seinen Ursprung ableugnen. Zum übrigen Österreich habe ich eine Art Haßliebe: Ich liebe Österreich, kann aber doch nicht vergessen, was Österreich unter Hitler den Juden angetan hat. Allerdings hat Hitler ja auch die österreichische Intelligenz verfolgt und die kulturelle Oberschicht Österreichs ausgerottet. Ich nehme an, daß vor Gott alles anders ausschaut und ich habe im Laufe der Zeit gelernt, daß es nur darauf ankommt, ein guter oder ein schlechter Mensch zu sein. Bist Du ein guter Mensch, kannst Du mein Bruder sein, wer auch immer Du bist; aber wenn ein jüdischer Lump da ist, werde ich ihn genauso verurteilen wie alle anderen Lumpen. Für mich ist das jüdische Volk das Volk der größten Bandbreite: das Volk der Edelsten und gleichzeitig das der elendsten Halunken. Es heißt immer, die Juden wären die gefinkeltsten Geschäftsleute, aber keine guten Soldaten. Wenigstens das haben wir in Israel bewiesen: Wir sind nicht immer gute Geschäftsleute, aber wir können sehr wohl gute Soldaten sein. Wie wir uns seit 1948 halten konnten, das ist ein Wunder. Allerdings haben wir dafür auch unendlich viel Blut gezollt. Ben Gurion hat einmal gesagt: „Wer in Israel nicht an Wunder glaubt, ist kein Realist!" Ich will weiter an Wunder glauben, vielleicht kommt doch noch Friede in die Welt, auch für mein geschundenes Volk.

Ich will ein kleines Rädchen sein,
in meines Volks lebendiger Maschine,
ich will nicht groß und mächtig sein,
ich diene.
Ich diene schweigend, unbemerkt,
wie Menschen meinesgleichen,
mir fehlt die Dosis Eitelkeit,
um Würden zu erreichen.
Ich möchte einmal, einmal nur,
mein Volk befriedet blicken,
die alte Unrast abgetan,
und keinen Feind im Rücken.

David Ignatz Neumann
1988

English Summary

David Ignatz Neumann, born in 1894 in Rust (Western Hungary, now Burgenland) ist probably one of the few living Jewish participants in the Great War. Besides, he is a gifted poet, and it was at the presentation of some of his poems ("Ein Leben - ein Werk"; Eisenstadt-Wien: Ed. Roetzer 1988) that he granted a long interview to Erwin A. Schmidl. The editor is grateful to David Neumann for permission to include an authorized version of the transcript in this publication.

Although he lived in Vienna after 1901, David Neumann joined the (Hungarian) Infantry-Regiment Nr. 76 in 1914. After basic training, Neumann was trained as a clerk, but due to a severe illness remained at his regiment's base depot until 1916. Then, already a lance-corporal, he went to the front: first to Italy for a short time and then with a contingent of some 1,000 men to the (Romanian/Hungarian) Infantry-Regiment Nr. 5. Despite his protests (his old regiment was considered an élite unit and the contingent was transferred to the less respected Infantry-Regiment Nr. 5 as a morale booster), he stayed with this unit for the rest of the war. In May 1918, the regiment was moved to the Italian front, but two months later it formed part of the Austro-Hungarian forces transferred to France in support of the German Western front. At that time, Neumann was a sergeant (clerk).

After the collapse of the Dual Monarchy in 1918, Neumann returned to Vienna. Already a convinced Zionist before the war, he decided to emigrate to Palestine where he opened a cutlery store in Tel Aviv in 1927. He lives in Tel Aviv and Basel.

Apart from detailing his own story outlined above, in this account David Neumann also mentioned some general issues of Jewish military service in the old monarchy, like duties on Sabbath and Jewish holidays, lack of kosher food, and the fact that he encountered very little anti-Semitism during his military career.

Register

Index

Register / Index

Zum Autor:

Erwin A. Schmidl wurde 1956 in Wien geboren, wo er Geschichte, Völkerkunde und Kunstgeschichte studierte und 1981 zum Dr. Phil. sub auspiciis praesidentis promoviert wurde. Seit 1981 ist er am Heeresgeschichtlichen Museum/Militärwissenschaftlichen Institut des BMLV tätig. 1987 wurde er überdies in die Arbeitsgruppe Militärhistorischer Dienst des BMLV berufen.

Dr. Schmidl ist Mitglied der Commission Autrichienne d'Histoire Militaire und Träger des Ludwig-Jedlicka-Gedächtnispreises. Er ist Autor mehrerer Aufsätze zur österreichischen und außereuropäischen Geschichte des 19. und 20. Jahrhunderte sowie Verfasser des Buches "März 38: Der deutsche Einmarsch in Österreich" (Wien 1987). Zusammen mit Dr. Jay Stone verfaßte er die Studie "The Boer War and Military Reforms" (Lanham-New York-London 1988).

Er ist verheiratet und lebt in Wien.

About the Author:

Born in Vienna in 1956, Erwin A. Schmidl studied history and anthropology at the University of Vienna, graduated Dr. phil. sub auspiciis praesidentis in 1981. In the same year, he was appointed military historian on the staff of the Austrian Army Museum in the Department of Historical Research. From 1987, he is a member of the study group on military history of the Austrian Ministry of Defence.

Dr. Schmidl is a member of the Commission Autrichienne d'Histoire Militaire and was awarded the Ludwig-Jedlicka-Prize. Apart from several articles on nineteenth- and twentieth-century military history, he is the author of "März 38", a study on the National Socialist takeover of Austria and the occupation of Austria by German troops in 1938. Together with Dr. Jay Stone of New York, he compiled the volume "The Boer War and Military Reforms" (Lanham-New York-London 1988).

He is married and lives in Vienna.